ÉDITRICE: Caty Bérubé

DIRECTRICE GÉNÉRALE: Julie Doddridge

CHEF D'ÉQUIPE PRODUCTION ÉDITORIALE: Isabelle Roy

CHEF D'ÉQUIPE PRODUCTION GRAPHIQUE: Marie-Christine Langlois

CHEFS CUISINIERS: Benoit Boudreau et Richard Houde.

RÉDACTRICE EN CHEF: Anne-Marie Favreau

RECHERCHISTE CULINAIRE: Isabelle Chabot

AUTEURS: Caty Bérubé, Richard Houde, Annie Lavoie
et Raphaële St-Laurent Pelletier.

RÉVISEURES: Marilou Cloutier et Corinne Dallain.

ASSISTANTES À LA PRODUCTION: Edmonde Barry et Marie-Pier Marceau.

CONCEPTRICES GRAPHIQUES: Annie Gauthier, Arianne Leclerc Jodoin,
Ariane Michaud-Gagnon, Myriam Poulin, Claudia Renaud et Joëlle Renauld.

SPÉCIALISTE EN TRAITEMENT D'IMAGES ET CALIBRATION PHOTO:
Yves Vaillancourt

PHOTOGRAPHES: Francis Gauthier, Rémy Germain et Marie-Ève Lévesque.

STYLISTES CULINAIRES: Laurie Collin et Christine Morin.

ASSISTANTES STYLISTES: Katerine Doyon et Carly Harvey.

COLLABORATEURS: Sabrina Belzil, Louise Bouchard, Ève Godin,
Martin Houde, Dominique Jodry-Lapointe, Jessie Marcoux et Stéphanie Nicol.

DIRECTEUR DE LA DISTRIBUTION: Marcel Bernatchez

DISTRIBUTION: Éditions Pratico-Pratiques et Messageries ADP.

IMPRESSION: TC Interglobe

DÉPÔT LÉGAL: 3e trimestre 2016
Bibliothèque et Archives nationales du Québec
Bibliothèque et Archives Canada
ISBN 978-2-89658-807-7

Gouvernement du Québec - Programme de crédit d'impôt
pour l'édition de livres - Gestion SODEC

**P Pratico
pratiques**

1685, boulevard Talbot, Québec (QC) G2N 0C6
Tél.: 418 877-0259
Sans frais: 1 866 882-0091
Téléc.: 418 780-1716
www.pratico-pratiques.com

Commentaires et suggestions: info@pratico-pratiques.com

Soupers à la MIJOTEUSE

en 5 INGRÉDIENTS 15 MINUTES

Soupers à la
MIJOTEUSE en 5
INGRÉDIENTS

MINUTES
15

240 recettes
POUR DES SOUPERS TOUT PRÊTS

pour votre retour à la maison

Pratico pratiques

Table des matières

La mijoteuse :
l'alliée des familles pressées !

« J'aurais besoin de 36 heures dans une journée pour arriver ! »

« Si je pouvais me faire cloner, ce serait tellement pratique ! »

Des phrases que vous vous répétez souvent ?

Puisque ces souhaits sont malheureusement impossibles à réaliser, j'ai une solution plus réaliste pour vous. Solution qui d'ailleurs simplifie ma vie depuis plusieurs années : la mijoteuse !

Aussi banal que ça puisse paraître, cet appareil nous donne un sacré coup de main dans la cuisine ! Avant de partir au travail, on lui confie les ingrédients de notre souper, et au retour à la maison, le repas est prêt !

Question de vous simplifier la vie encore plus, ce livre de la collection *5 ingrédients – 15 minutes* vous propose des recettes à mijoter qui se préparent en moins de 15 minutes à partir de 5 ingrédients de base. Elles sont donc parfaitement adaptées à la réalité des travailleurs !

Jambon à l'érable, porc effiloché, sauce à spaghetti, bœuf bourguignon : voilà un aperçu des classiques à mijoter que vous trouverez dans ce livre. Vous préférez les mets sans viande ? Eh bien justement, une section végé a été pensée pour vous !

Maintenant que vous avez trouvé la solution à votre manque de temps, il ne vous reste plus qu'à profiter de ces précieuses minutes gagnées !

Caty

25 astuces

pour de savoureux soupers à la mijoteuse

Du matin au soir, c'est la course folle dans nos vies! Boulot, entraînement, devoirs de la plus grande, cours de natation du plus petit, lavage, ménage… Ouf! Mais à travers toutes ces occupations, comment trouver le temps de cuisiner et de bien manger?

S'il n'est malheureusement pas possible d'ajouter des heures à nos journées, il existe une excellente façon de les rendre plus productives: cuisiner à la mijoteuse!

Alliée parfaite des gens actifs, la mijoteuse permet de concocter des repas chauds, nutritifs et réconfortants sans avoir à passer des heures aux fourneaux. Que ce soit pour les soirs où le temps manque ou pour prendre un petit congé de cuisine pendant le weekend, la mijoteuse est la solution pour nous faire gagner du temps sans négliger la qualité de nos mets préférés!

Puisqu'elle est reconnue pour attendrir les découpes de viande moins tendres (et plus économiques!), elle peut aussi nous faire épargner de l'argent! De plus, saviez-vous que cet appareil permet une économie d'énergie pouvant aller jusqu'à 80 % par rapport à la cuisinière? Et puisqu'il nous permet de cuisiner des repas tout-en-un, son usage nous épargne chaque fois une bonne grosse corvée de vaisselle. Que du bon!

Vous êtes maintenant convaincu des avantages de la mijoteuse?

Voici 25 astuces pour l'utiliser avec succès!

1 Poisson et fruits de mer juste à point

La chair du poisson et des fruits de mer est très délicate. Pour ne pas qu'elle durcisse et perde de sa saveur, évitez de la cuire trop longtemps. Si elle est cuisinée à la mijoteuse avec d'autres aliments plus longs à cuire, ajoutez-la en fin de cuisson seulement.

2 Adapter une recette pour la mijoteuse

La plupart des recettes qui se préparent sur la cuisinière ou au four peuvent également se cuire à la mijoteuse, moyennant quelques légères modifications.

- **COUPER DE MOITIÉ LA QUANTITÉ DE LIQUIDE**
  Puisqu'il n'y a pas d'évaporation au cours d'une cuisson à la mijoteuse, cela vous évitera d'obtenir un plat trop liquide et sans saveur.

- **MODIFIER LA DURÉE DE CUISSON**
  Lorsque l'on cuisine avec une mijoteuse, il faut prévoir deux, trois ou même quatre fois plus de temps pour cuire nos aliments. Ce temps variera entre autres selon la découpe et le type de viande choisis. Référez-vous au tableau ci-dessous pour connaître les temps de cuisson habituels.

Viandes et découpes	Temps de cuisson approximatif à la mijoteuse
Rôtis, grosses pièces de viande, bœuf, jambon et côtes levées	de 8 à 10 heures
Poulet entier, cubes de viande, côtelettes et viande hachée	de 6 à 8 heures
Cuisses et poitrines de poulet, agneau et veau	de 5 à 7 heures

Note: le temps de cuisson peut varier d'un appareil à l'autre. Consultez le guide d'utilisation de votre mijoteuse pour ajuster le temps de cuisson.

3 Pour prendre de l'avance

La mijoteuse peut être une véritable alliée pour les soupers de semaine! Pour rendre son usage encore plus efficace, on prépare nos ingrédients la veille. Pour ce faire, il suffit de couper nos morceaux de viande ou de volaille et de les mettre dans un sac hermétique au frigo. Même chose pour les légumes. Ainsi, le lendemain avant de partir pour le boulot, il ne reste qu'à mettre le tout dans la mijoteuse avec les autres ingrédients nécessaires.

4 Sublimer le goût de la viande

Avant de déposer les morceaux de viande dans la mijoteuse, faites-les dorer de tous les côtés dans une poêle avec du beurre ou de l'huile. Cela aura pour effet de sceller les sucs à l'intérieur de la viande et d'y emprisonner toute la saveur. Le fait de saisir la viande contribue aussi à lui conférer une texture plus agréable ainsi qu'une belle couleur dorée. Pour éviter que votre viande ne bouillonne, faites cuire seulement quelques morceaux à la fois en prenant soin de bien les espacer.

5 Pour des légumes parfaits

Plusieurs légumes nécessitent un temps de cuisson supérieur à celui de la viande. C'est le cas notamment des légumes racines (navets, carottes, betteraves, pommes de terre...). Pour leur permettre d'être prêts en même temps que les autres aliments dans le mijoté, coupez-les en morceaux d'une taille maximale de 2,5 cm (1 po) et placez-les le plus près possible de la source de chaleur, soit au fond de la mijoteuse ou le long de ses parois. Pour ce qui est des légumes au goût plus prononcé, comme le brocoli, le chou ou le chou-fleur, ajoutez-les de une à deux heures avant la fin de la cuisson pour éviter que leur saveur ne domine. Les légumes plus délicats, comme les épinards, les asperges ou les pois mange-tout, peuvent également être intégrés de une à deux heures avant la fin de la cuisson, car s'ils sont cuits trop longtemps, ils risquent de se retrouver en bouillie.

25 astuces
pour de savoureux
soupers à la mijoteuse

6 Pour prendre encore plus d'avance

On profite d'un dimanche de grisaille pour préparer quelques repas à mijoter!

- **Préparer** les assaisonnements, les légumes et les viandes selon les recettes préalablement choisies. Déposer dans des bols au fur et à mesure.

- **Transférer** le contenu des bols dans des sacs de congélation selon les indications de la recette. Sur le sac, indiquer le contenu, le nombre de portions et la date.

- **Mettre** le tout au congélo!

8 Des pommes de terre qui savent se tenir

Lorsque l'on incorpore des pommes de terre à un plat mijoté, on ne veut pas qu'elles finissent en purée dans le fond de la mijoteuse! Pour des pommes de terre qui gardent leur forme tout au long de la cuisson, on privilégie celles «à bouillir». Parmi celles-ci, on retrouve la Russet et la Eramosa.

10 Plus légers, les mijotés!

Vous faites attention à votre santé et aimeriez alléger vos plats mijotés? Voici comment faire!

- **Retirer** tout excédent de gras de la viande. Faire de même avec la peau de la volaille.

- **Dégraisser** le bouillon à la fin de la cuisson à l'aide d'une cuillère ou d'un papier absorbant. Si le mijoté a été réfrigéré, retirer le gras figé à sa surface à l'aide d'une cuillère.

7 Épaissir un mijoté trop liquide: facile!

À la fin de la cuisson, votre sauce est trop claire et vous aimeriez lui donner plus de consistance? Voici trois trucs pour parvenir à vos fins!

- **Fécule de maïs:** en délayer 10 ml (2 c. à thé) dans une petite quantité de liquide froid (bouillon, eau, jus de légumes...), porter le mijoté à ébullition, puis y verser la fécule délayée en remuant. Laisser mijoter environ 5 minutes.

- **Beurre manié:** mélanger 15 ml (1 c. à soupe) de beurre avec la même quantité de farine, puis ajouter au liquide en ébullition. Laisser mijoter jusqu'à la consistance désirée.

- **Épaississants instantanés:** il existe sur le marché des épaississants pour sauce blanche ou pour sauce brune. Il suffit de les incorporer directement au mijoté en ébullition.

9 Pour maximiser la saveur

Pour éviter que la saveur des herbes séchées et des épices ne soit altérée, ou dans certains cas démesurément rehaussée (exemples: piments forts, poudre de chili), ajoutez-les seulement une trentaine de minutes avant la fin de la cuisson. Pour ce qui est des fines herbes fraîches, elles peuvent être intégrées sans problème en début de cuisson.

11 Comment faire ses propres cubes à ragoût?

Des cubes à ragoût déjà prêts sont offerts au rayon de la boucherie des supermarchés. Toutefois, quand on veut économiser et que l'on n'est pas trop pressé, on peut décider de les tailler nous-même. Dans ce cas, il faudra privilégier les découpes provenant de l'épaule de bœuf, comme la palette ou la côte croisée. Plus grasses, ces parties risquent moins de s'assécher durant une cuisson prolongée. Pour une viande tendre et juteuse, il est conseillé de tailler des cubes d'environ 5 cm (2 po).

12 Mijoteuse : conseils d'achat

Vous pensez changer votre mijoteuse ou vous en procurer une pour la première fois? Voici quelques critères à considérer au moment de faire votre choix.

Taille: un modèle de 6 litres (24 tasses) est idéal lorsque l'on cuisine pour une famille ou que l'on souhaite congeler quelques portions pour un usage ultérieur.

Nettoyage: lorsque le récipient et le couvercle de la mijoteuse sont amovibles, il est possible de les mettre au lave-vaisselle. Un petit détail qui fait toute la différence!

Fonctions: une mijoteuse programmable qui dispose d'une minuterie et d'un mode réchaud automatique, c'est génial quand on ne peut être là pour surveiller la cuisson! La mijoteuse idéale devrait aussi être dotée de modes de cuisson à haute et à basse intensité.

Forme de la cuve: parce qu'ils peuvent contenir de longs morceaux de viande (rôtis, côtes levées...) et des volailles entières, les récipients de forme ovale sont beaucoup plus pratiques!

Couvercle: idéalement, il devrait être hermétique (pour faciliter le transport) et transparent (pour nous éviter d'avoir à le soulever pendant la cuisson – voir astuce 22).

13 Cuisson de la volaille

Oui, la chair de la volaille peut nous rendre malade si elle n'est pas assez cuite. Toutefois, il faut savoir que trop cuit, c'est comme pas assez! Pour éviter que nos pilons ne se transforment en bouillie, on les retire de la mijoteuse lorsque leur chair se détache facilement de l'os. On fait de même avec un poulet entier.

14 Les découpes idéales pour la mijoteuse

Bien sûr, toutes les découpes de viande sont les bienvenues dans la mijoteuse! Toutefois, quand on sait que les découpes moins tendres (et plus économiques!) s'attendrissent en cours de cuisson, on serait fou de ne pas en profiter! En voici quelques-unes à privilégier.

Type de viande	Découpes
Bœuf et veau	Rôti d'épaule, rôti de côtes croisées, rôti de palette, cubes à ragoût, cubes à fondue bourguignonne, jarrets, poitrine, pointe de poitrine désossée
Porc	Épaule (palette ou picnic), jarrets, côtes de flanc, côtes de dos, jambon, longe, cubes d'épaule, cubes de fesse
Agneau	Cubes à ragoût, jarrets, épaule (désossée ou non), gigot, collier (ou collet)
Gibier	Cubes à ragoût, découpes provenant de l'épaule

25 astuces
pour de savoureux
soupers à la mijoteuse

15 Astuce récup'

Après avoir mijoté longuement, les aliments et le liquide dans lequel ils baignent produisent un excellent bouillon! Puisque celui-ci regorge de saveurs et de nutriments, on le récupère pour le mettre à profit dans un prochain repas. Si on ne peut l'utiliser dans les jours qui suivent, on le met dans un contenant hermétique au congélo.

16 Encore plus de nutriments

Pour un mijoté plus nutritif, on cuit nos légumes avec leur pelure. Celle-ci renferme généralement une plus grande quantité de vitamines, de minéraux et d'antioxydants que la chair. De plus, en optant pour une cuisson lente et à basse température, on permet aux aliments de mieux préserver leurs propriétés nutritives.

17 Lasagne sans chichis

Lorsque l'on cuit une lasagne à la mijoteuse, il n'est pas nécessaire de faire précuire les pâtes ou d'utiliser des pâtes précuites. La vapeur qui s'accumule dans la mijoteuse au cours de la cuisson suffit à les cuire juste à point. De plus, si vous pensiez devoir terminer la cuisson de votre lasagne mijotée au four pour faire griller le fromage, détrompez-vous! Ce dernier sera bien doré sans que vous ayez à faire quoi que ce soit!

18 Non aux chairs gelées !

Viande, volaille, poisson et fruits de mer doivent impérativement être décongelés avant d'être cuits dans la mijoteuse, et ce, même si on règle cette dernière à intensité élevée. Dans le cas contraire, la température des aliments resterait trop longtemps dans la zone de danger, ce qui augmenterait le risque de prolifération des bactéries.

19 Mijoté trop salé ? Voici la solution !

En goûtant votre mijoté à mi-cuisson, vous vous apercevez que celui-ci est trop salé? Plutôt que de tout balancer à la poubelle, tentez un sauvetage! Pour ce faire, plongez une pomme de terre pelée au centre du mijoté et laissez-la ainsi jusqu'à la fin de la cuisson: elle absorbera le surplus de sodium. Psst! N'oubliez pas de la retirer avant de servir!

20 Trop épais, le mijoté ?

Pas de panique! Il suffit d'y ajouter un peu de liquide pour l'éclaircir. Vin, eau, bouillon... tout est bon! Toutefois, il faut s'assurer que le liquide choisi soit en harmonie avec les saveurs de notre mets.

21 Oui aux mijotés végé!

Manger quelques repas sans viande de temps en temps ne fait de mal à personne, bien au contraire! Si vous aimez le chili, la sauce à spaghetti ou le pâté chinois, pourquoi ne pas utiliser du tofu plutôt que de la viande hachée pour les cuisiner? En l'émiettant, vous n'y verrez que du feu! Pour remplacer une portion de viande de 75 g (environ 2 ½ oz), il vous faudra 150 g (⅓ de lb) de tofu. Notez que comme la viande, le tofu se prête très bien aux mets mijotés!

22 Attention au couvercle!

L'odeur exquise d'un plat en préparation dans la mijoteuse nous pousse parfois à soulever le couvercle pour pouvoir le humer davantage. Un geste qui ajoute chaque fois 20 minutes supplémentaires à la cuisson! Comme le dit le proverbe: «Tout vient à point à qui sait attendre». Soyons patients!

23 Mijotez, scellez et congelez

Quand on vit seul ou en couple et que l'on cuisine un mets dans une mijoteuse de 4 litres, on en a au moins pour une semaine avant de passer au travers! Plutôt que de se résoudre à manger des restes pendant des jours, on les met au congélo. Emballés sous vide avec un appareil conçu à cet effet, ils se conserveront entre 10 et 24 mois. Ainsi, lorsque la visite se pointera sans avertir, on sera bien heureux de les accueillir avec un bon souper... déjà prêt!

24 Pour les becs sucrés

Vous craquez pour les mets sucrés-salés? Ajoutez un peu de sirop d'érable, de mélasse, de miel ou encore des fruits séchés (dattes, figues, abricots...) à votre mijoté en fin de cuisson. De quoi transformer votre jambon, vos côtes levées ou vos pilons de poulet en véritable délice!

25 Un vrai bon bouillon!

Un bon bouillon n'est pas simplement bon au goût, il l'est aussi pour la santé! Si vous devez utiliser un bouillon pour votre mijoté, il est préférable de le faire vous-même. À titre comparatif, un bouillon de poulet du commerce peut fournir jusqu'à 1130 mg de sodium par 250 ml (1 tasse), alors qu'en version maison, il n'en fournira que 340 mg pour la même quantité. En y ajoutant des fines herbes et des épices, on rehaussera son goût sans avoir à ajouter de sel.

Poulet et dinde

Fini les pannes d'inspiration au moment de cuisiner la volaille! Grâce à cette section, vous pourrez faire le plein d'idées et renouveler vos classiques avant de vous en lasser! Cuites lentement, ces chairs délicates resteront tendres et vous offriront le meilleur d'elles-mêmes! Vive la mijoteuse!

Poulet
3 poitrines sans peau
coupées en cubes ❶

Bouillon de poulet ❷
250 ml (1 tasse)

Miel ❸
45 ml (3 c. à soupe)

**Mélange chinois
cinq épices** ❹
5 ml (1 c. à thé)

1 poire asiatique ❺
coupée en quartiers

PRÉVOIR AUSSI :
➤ **Sauce soya**
30 ml (2 c. à soupe)
➤ **1 oignon**
haché
➤ **Fécule de maïs**
15 ml (1 c. à soupe)

FACULTATIF :
➤ **Gingembre**
haché
15 ml (1 c. à soupe)
➤ **1 mangue**
coupée en dés

Poulet à la poire asiatique et au miel

Préparation : **15 minutes** • Cuisson à faible intensité : **5 heures** • Quantité : **4 portions**

Préparation

Dans une grande poêle, chauffer un peu d'huile de sésame (non grillé) ou de canola à feu moyen-élevé. Faire dorer les cubes de poulet de 2 à 3 minutes. Déposer dans la mijoteuse.

Dans un bol, mélanger le bouillon de poulet avec le miel, le mélange chinois cinq épices, la sauce soya et, si désiré, le gingembre. Verser dans la mijoteuse. Ajouter l'oignon et remuer pour bien enrober les cubes de poulet de sauce.

Couvrir et cuire de 4 à 5 heures à faible intensité.

Délayer la fécule de maïs dans un peu d'eau froide et verser dans la mijoteuse en remuant. Ajouter la poire et, si désiré, la mangue. Remuer. Couvrir et poursuivre la cuisson 1 heure.

PAR PORTION	
Calories	237
Protéines	25 g
Matières grasses	5 g
Glucides	23 g
Fibres	2 g
Fer	1 mg
Calcium	22 mg
Sodium	634 mg

Pour varier

Avec du porc ou de la dinde

Vous aimez la saveur de cette recette ? Essayez-la avec du porc ou de la dinde pour faire changement ! Voici nos recommandations pour les temps de cuisson :

• 605 g (1 ⅓ lb) de filets de porc coupés en cubes : de 4 à 5 heures à faible intensité

• 605 g (1 ⅓ lb) de poitrines de dinde coupées en cubes : de 5 à 6 heures à faible intensité

Poulet ①
750 g (environ 1 ½ lb)
de poitrines sans peau
coupées en lanières

Gingembre ②
haché
15 ml (1 c. à soupe)

Garam masala ③
15 ml (1 c. à soupe)

Bouillon de poulet ④
250 ml (1 tasse)

Yogourt nature 0 % ⑤
250 ml (1 tasse)

PRÉVOIR AUSSI :
➤ 2 **oignons**
hachés

FACULTATIF :
➤ **Ail**
haché
15 ml (1 c. à soupe)

Poulet garam masala

Préparation : **15 minutes** • Cuisson à faible intensité : **5 heures 30 minutes** • Quantité : **4 portions**

Préparation

Dans une poêle, chauffer un peu d'huile de canola à feu moyen. Faire dorer les lanières de poulet de 1 à 2 minutes, en procédant par petites quantités. Déposer dans la mijoteuse.

Ajouter le gingembre, le garam masala, le bouillon de poulet, les oignons et, si désiré, l'ail dans la mijoteuse. Remuer.

Couvrir et cuire de 4 heures 30 minutes à 5 heures 30 minutes à faible intensité.

Incorporer le yogourt à la préparation. Couvrir et poursuivre la cuisson 1 heure.

PAR PORTION	
Calories	315
Protéines	49 g
Matières grasses	7 g
Glucides	12 g
Fibres	2 g
Fer	1 mg
Calcium	166 mg
Sodium	256 mg

Version maison

Garam masala

Déposer 1 bâton de cannelle haché grossièrement, 60 ml (¼ de tasse) de grains de cumin, 30 ml (2 c. à soupe) de cardamome moulue, 30 ml (2 c. à soupe) de grains de poivre noir, 15 ml (1 c. à soupe) de clous de girofle, 15 ml (1 c. à soupe) de grains de coriandre et ½ noix de muscade concassée sur une plaque de cuisson tapissée de papier parchemin. Cuire au four 5 minutes à 180 °C (350 °F). Retirer du four et laisser tiédir. À l'aide du moulin à café, réduire en poudre le mélange d'épices légèrement torréfié en procédant par petites quantités. Bien remuer le mélange obtenu. Donne environ 125 ml (½ tasse) de garam masala.

Poulet ①
8 hauts de cuisses
désossés et sans peau

Tamari ②
léger
125 ml (½ tasse)

Sirop d'érable ③
30 ml (2 c. à soupe)

Sauce sriracha ④
30 ml (2 c. à soupe)

Graines de sésame ⑤
grillées
30 ml (2 c. à soupe)

Hauts de cuisses à l'asiatique

Préparation : **10 minutes** • Cuisson à faible intensité : **5 heures** • Quantité : *de 4 à 5 portions*

Préparation

Dans une grande poêle, chauffer un peu d'huile de canola à feu moyen. Faire dorer les hauts de cuisses de 1 à 2 minutes sur toutes les faces. Déposer les hauts de cuisses dans la mijoteuse.

Dans un bol, mélanger le tamari avec le sirop d'érable, la sauce sriracha, l'ail et, si désiré, le gingembre. Verser dans la mijoteuse. Remuer pour bien enrober les hauts de cuisses de sauce.

Couvrir et cuire de 5 à 6 heures à faible intensité.

Au moment de servir, garnir de graines de sésame.

PAR PORTION	
Calories	246
Protéines	26 g
Matières grasses	10 g
Glucides	10 g
Fibres	1 g
Fer	4 mg
Calcium	60 mg
Sodium	1 406 mg

Idée pour accompagner

Bok choys au miso

Dans une poêle, porter à ébullition 15 ml (1 c. à soupe) de miso avec 30 ml (2 c. à soupe) de miel, 15 ml (1 c. à soupe) de sauce soya et 125 ml (½ tasse) de bouillon de poulet. Ajouter 4 bok choys coupés en deux et remuer. Couvrir et porter à ébullition. Cuire de 3 à 4 minutes. Saupoudrer de 30 ml (2 c. à soupe) de graines de sésame grillées.

PRÉVOIR AUSSI :
➤ **Ail**
2 gousses hachées

FACULTATIF :
➤ **Gingembre**
râpé
30 ml (2 c. à soupe)

Poulet
4 poitrines sans peau ①

Sirop d'érable ②
125 ml (½ tasse)

Jus de pomme ③
180 ml (¾ de tasse)

Vinaigre de cidre ④
45 ml (3 c. à soupe)

3 pommes vertes ⑤

Poulet aigre-doux aux pommes

Préparation : **15 minutes** • Cuisson à faible intensité : **5 heures** • Quantité : **4 portions**

Préparation

Dans une poêle, chauffer un peu d'huile de canola à feu moyen. Faire dorer les poitrines de poulet de 1 à 2 minutes de chaque côté. Déposer les poitrines dans la mijoteuse.

Dans un bol, mélanger le sirop d'érable avec le jus de pomme et le vinaigre de cidre. Verser dans la mijoteuse et remuer.

Couvrir et cuire de 4 à 5 heures à faible intensité.

Peler et couper les pommes en quartiers. Ajouter les pommes dans la mijoteuse. Couvrir et poursuivre la cuisson 1 heure.

PAR PORTION	
Calories	345
Protéines	28 g
Matières grasses	5 g
Glucides	46 g
Fibres	1 g
Fer	1 mg
Calcium	56 mg
Sodium	53 mg

Idée pour accompagner

Sauté d'asperges

Dans une casserole d'eau bouillante salée, cuire de 15 à 20 asperges parées de 2 à 3 minutes. Égoutter. Dans la même casserole, chauffer 15 ml (1 c. à soupe) d'huile d'olive à feu moyen-élevé. Cuire 1 oignon et 1 gousse d'ail émincés de 4 à 5 minutes. Ajouter les asperges et 15 ml (1 c. à soupe) de jus de citron. Saler et poivrer. Poursuivre la cuisson de 1 à 2 minutes. Garnir de 15 ml (1 c. à soupe) de persil haché.

Poulet
1 kg (environ 2 ¼ lb)
de cuisses
la peau enlevée

1

6 mini-carottes

2

Oignons perlés
épluchés
250 ml (1 tasse)

3

**16 pommes
de terre grelots**

4

Beurre
fondu
60 ml (¼ de tasse)

5

PRÉVOIR AUSSI :
➤ 4 **oignons verts**
coupés en morceaux
➤ **Farine**
60 ml (¼ de tasse)

FACULTATIF :
➤ **Champignons**
250 ml (1 tasse)

Blanquette de poulet

Préparation : **15 minutes** • Cuisson à faible intensité : **6 heures** • Quantité : **de 4 à 6 portions**

Préparation

Dans une grande poêle, chauffer un peu d'huile de canola à feu moyen. Faire dorer les cuisses de poulet de 1 à 2 minutes. Déposer les cuisses dans la mijoteuse.

Ajouter les mini-carottes, les oignons perlés, les pommes de terre, les oignons verts et, si désiré, les champignons dans la mijoteuse. Remuer.

Dans un bol, mélanger la farine avec le beurre fondu. Verser sur les légumes et le poulet. Ajouter 500 ml (2 tasses) d'eau froide et remuer.

Couvrir et cuire de 6 à 8 heures à faible intensité.

PAR PORTION	
Calories	684
Protéines	42 g
Matières grasses	20 g
Glucides	86 g
Fibres	8 g
Fer	5 mg
Calcium	80 mg
Sodium	239 mg

À découvrir

La blanquette de poulet

Traditionnellement faite de veau, la blanquette nous vient tout droit de France. Bien que l'on ne se soit pas encore entendus sur la recette officielle de ce plat réconfort par excellence, une chose est certaine : sa sauce crémeuse accompagnera à merveille n'importe quelle viande de choix !

Dinde
hachée
680 g (1 ½ lb)
1

Ciboulette
hachée
30 ml (2 c. à soupe)
2

Chapelure nature
30 ml (2 c. à soupe)
3

Sauce aigre-douce
du commerce
375 ml (1 ½ tasse)
4

¼ d'ananas
coupé en dés
5

PRÉVOIR AUSSI :
➤ **Ail**
haché
5 ml (1 c. à thé)

➤ 1 **carotte**
coupée en dés

Boulettes de dinde, sauce aigre-douce

Préparation : **15 minutes** • Cuisson à intensité élevée : **3 heures** • Quantité : **4 portions**

Préparation

Dans un grand bol, mélanger la dinde hachée avec la ciboulette, la chapelure et l'ail. Saler et poivrer. Façonner 20 boulettes en utilisant environ 30 ml (2 c. à soupe) de préparation pour chacune d'elles.

Dans une grande poêle, chauffer un peu d'huile de canola à feu moyen. Faire dorer les boulettes sur toutes les faces de 1 à 2 minutes.

Dans la mijoteuse, verser la sauce aigre-douce. Ajouter les boulettes, l'ananas et la carotte. Remuer pour bien enrober les boulettes de sauce. Couvrir et cuire de 3 à 4 heures à intensité élevée.

PAR PORTION	
Calories	427
Protéines	34 g
Matières grasses	17 g
Glucides	32 g
Fibres	2 g
Fer	2 mg
Calcium	117 mg
Sodium	680 mg

Version maison

Sauce aigre-douce

Mélanger 250 ml (1 tasse) de bouillon de poulet avec 60 ml (¼ de tasse) de sauce chili, 60 ml (¼ de tasse) de sirop d'érable et 7,5 ml (½ c. à soupe) de gingembre haché. Saler et poivrer.

Poulet ①
4 cuisses
la peau enlevée

Salsa douce ②
500 ml (2 tasses)

1 poivron rouge ③
coupé en dés

1 oignon ④
coupé en morceaux

Mélange de quatre ⑤
fromages italiens râpés
500 ml (2 tasses)

Poulet à la salsa

Préparation : **15 minutes** • Cuisson à faible intensité : **3 heures 45 minutes**
Cuisson à intensité élevée : **15 minutes** • Quantité : **4 portions**

Préparation

Déposer les cuisses de poulet dans la mijoteuse.

Ajouter la salsa, le poivron et l'oignon. Remuer afin de bien enrober le poulet de salsa.

Couvrir et cuire de 3 heures 45 minutes à 4 heures 45 minutes à faible intensité.

Parsemer le poulet de fromage. Couvrir et poursuivre la cuisson 15 minutes à intensité élevée.

PAR PORTION	
Calories	407
Protéines	40 g
Matières grasses	20 g
Glucides	16 g
Fibres	3 g
Fer	2 mg
Calcium	414 mg
Sodium	1 066 mg

Idée pour accompagner

Salade verte au concombre, vinaigrette au pesto

Dans un saladier, fouetter 60 ml (¼ de tasse) d'huile d'olive avec 15 ml (1 c. à soupe) de jus de citron et 15 ml (1 c. à soupe) de pesto. Saler et poivrer. Ajouter ½ concombre émincé, 6 radis émincés et ½ laitue frisée verte déchiquetée. Remuer.

Poulet
4 poitrines sans peau ①

Sauce chili douce ②
180 ml (¾ de tasse)

Sauce de poisson ③
30 ml (2 c. à soupe)

Cassonade ④
15 ml (1 c. à soupe)

Graines de sésame ⑤
30 ml (2 c. à soupe)

Poitrines de poulet, sauce chili sucrée

Préparation : **15 minutes** • Cuisson à faible intensité : **6 heures** • Quantité : **4 portions**

Préparation

Couper les poitrines en quatre ou en cinq morceaux.

Dans une grande poêle, chauffer un peu d'huile de sésame (non grillé) à feu moyen. Faire dorer les morceaux de poulet de 2 à 3 minutes. Déposer les morceaux de poulet dans la mijoteuse.

Verser la sauce chili, la sauce de poisson, la cassonade et, si désiré, le piment thaï dans la mijoteuse. Remuer pour bien enrober le poulet de sauce.

Couvrir et cuire de 6 à 8 heures à faible intensité.

Au moment de servir, parsemer le poulet de graines de sésame.

PAR PORTION	
Calories	295
Protéines	31 g
Matières grasses	7 g
Glucides	24 g
Fibres	0 g
Fer	1 mg
Calcium	34 mg
Sodium	1 094 mg

Idée pour accompagner

Sauté de légumes

Dans une grande poêle ou dans un wok, chauffer 15 ml (1 c. à soupe) d'huile de sésame (non grillé) à feu moyen. Saisir 5 ml (1 c. à thé) d'ail haché et 1 petit oignon rouge émincé 1 minute. Ajouter 2 carottes émincées finement, le contenu de 1 boîte de châtaignes d'eau tranchées de 227 ml et 20 pois mange-tout. Saler et poivrer. Cuire de 2 à 3 minutes.

FACULTATIF :
> 1 petit **piment thaï**
  émincé finement

Poulet ①
4 poitrines
sans peau

Ail ②
haché
15 ml (1 c. à soupe)

Vinaigrette ranch ③
faible en matières grasses
250 ml (1 tasse)

Vin blanc ④
60 ml (¼ de tasse)

Parmesan ⑤
râpé
60 ml (¼ de tasse)

PRÉVOIR AUSSI :
➤ **1 oignon**
haché
➤ **Fécule de maïs**
15 ml (1 c. à soupe)

Poulet ranch

Préparation : **15 minutes** • Cuisson à faible intensité : **5 heures** • Cuisson de la sauce : **5 minutes**
Quantité : **4 portions**

Préparation

Dans une grande poêle, chauffer un peu d'huile de canola à feu moyen. Saisir les poitrines de poulet de 1 à 2 minutes de chaque côté. Déposer les poitrines dans la mijoteuse.

Ajouter l'ail, la vinaigrette ranch, le vin, le parmesan et l'oignon dans la mijoteuse. Poivrer et remuer. Couvrir et cuire de 5 à 6 heures à faible intensité.

Retirer les poitrines de la mijoteuse et réserver dans une assiette.

À l'aide d'une passoire fine, filtrer la sauce contenue dans la mijoteuse au-dessus d'une casserole. Porter la sauce à ébullition.

Délayer la fécule de maïs dans un peu d'eau froide. Ajouter à la sauce et remuer. Laisser mijoter 1 minute en remuant, jusqu'à épaississement. Servir avec les poitrines de poulet.

PAR PORTION	
Calories	380
Protéines	34 g
Matières grasses	16 g
Glucides	21 g
Fibres	2 g
Fer	1 mg
Calcium	119 mg
Sodium	789 mg

Idée pour accompagner

Sauté de brocolis au bacon et graines de tournesol

Dans une casserole d'eau bouillante salée, cuire 2 petits brocolis coupés en bouquets de 2 à 3 minutes. Égoutter. Dans une grande poêle, cuire 6 tranches de bacon coupées en dés de 6 à 8 minutes. Retirer l'excédent de gras de la poêle, en prenant soin d'en réserver 15 ml (1 c. à soupe). Déposer les brocolis et 125 ml (½ tasse) de graines de tournesol dans la poêle. Remettre le bacon dans la poêle et remuer. Poursuivre la cuisson de 2 à 3 minutes. Poivrer.

Poulet
4 cuisses
la peau enlevée
(1)

1 citron
(2)

2 carottes
émincées
(3)

12 olives vertes
et noires
(4)

Sauce tomate
250 ml (1 tasse)
(5)

PRÉVOIR AUSSI :
➤ 2 **oignons**
émincés
➤ **Bouillon de poulet**
125 ml (½ tasse)

Cuisses de poulet au citron

Préparation : **15 minutes** • Cuisson à faible intensité : **5 heures** • Quantité : **4 portions**

Préparation

Dans une grande poêle, chauffer un peu d'huile de canola à feu moyen. Faire dorer les cuisses de poulet de 1 à 2 minutes de chaque côté. Déposer les cuisses dans la mijoteuse.

À l'aide d'un économe, prélever l'écorce du citron. Déposer dans la mijoteuse. Couper le citron en deux et le presser au-dessus de la mijoteuse pour en retirer le jus.

Ajouter les carottes, les olives, la sauce tomate, les oignons et le bouillon de poulet dans la mijoteuse. Remuer.

Couvrir et cuire de 5 à 6 heures à faible intensité.

Retirer l'écorce de citron avant de servir.

PAR PORTION	
Calories	257
Protéines	29 g
Matières grasses	9 g
Glucides	18 g
Fibres	5 g
Fer	2 mg
Calcium	70 mg
Sodium	757 mg

Idée pour accompagner

Couscous ail et citron

Dans une casserole, porter à ébullition 250 ml (1 tasse) de bouillon de poulet avec 5 ml (1 c. à thé) d'ail émincé et 1 pincée de sel. Dans un bol, mélanger 250 ml (1 tasse) de couscous avec 15 ml (1 c. à soupe) d'huile d'olive et 5 ml (1 c. à thé) de jus de citron. Verser le bouillon de poulet bouillant sur le couscous et couvrir. Laisser gonfler 5 minutes. Égrainer le couscous à l'aide d'une fourchette. Si désiré, garnir de 2,5 ml (½ c. à thé) de pistils de safran.

Lait de coco (1)
1 boîte de 400 ml

Beurre d'arachide croquant (2)
125 ml (½ tasse)

Sauce soya (3)
à faible teneur en sodium
60 ml (¼ de tasse)

Pâte de cari rouge (4)
5 ml (1 c. à thé)

Poulet (5)
12 pilons
la peau enlevée

PRÉVOIR AUSSI :
➤ **Lime**
30 ml (2 c. à soupe)
de jus

➤ 1 **oignon**
haché

FACULTATIF :
➤ **Ail**
haché
10 ml (2 c. à thé)

➤ **Gingembre**
haché
15 ml (1 c. à soupe)

Pilons de poulet sauce satay

Préparation : **15 minutes** • Cuisson à faible intensité : **5 heures** • Quantité : **de 4 à 6 portions**

Préparation

Dans un bol, mélanger le lait de coco avec le beurre d'arachide, la sauce soya, la pâte de cari, le jus de lime, l'oignon et, si désiré, l'ail et le gingembre.

Verser la moitié de la sauce dans la mijoteuse.

Dans une grande poêle, chauffer un peu d'huile de canola à feu moyen. Faire dorer les pilons de poulet de 2 à 3 minutes de chaque côté. Déposer les pilons dans la mijoteuse.

Verser le reste de la sauce sur les pilons. Remuer pour bien enrober les pilons de sauce.

Couvrir et cuire de 5 à 6 heures à faible intensité.

PAR PORTION	
Calories	518
Protéines	43 g
Matières grasses	34 g
Glucides	11 g
Fibres	1 g
Fer	4 mg
Calcium	42 mg
Sodium	711 mg

Idée pour accompagner

Sauté de pois mange-tout

Dans une casserole d'eau bouillante salée, blanchir 300 g (⅔ de lb) de pois mange-tout de 3 à 4 minutes. Égoutter. Dans une poêle, chauffer 30 ml (2 c. à soupe) d'huile d'olive à feu moyen. Faire revenir 1 petit oignon rouge coupé en dés de 1 à 2 minutes. Ajouter 30 ml (2 c. à soupe) de vinaigrette au sésame et les pois mange-tout. Cuire de 1 à 2 minutes en remuant. Saler et poivrer.

1 poulet entier
de 900 g à 1,35 kg
(de 2 à 3 lb)
ficelé

8 tomates
pelées, épépinées et
coupées en morceaux

Bouillon de poulet
180 ml (¾ de tasse)

Miel
30 ml (2 c. à soupe)

Amandes
émincées et grillées
60 ml (¼ de tasse)

PRÉVOIR AUSSI :
➤ 2 **oignons**
émincés

FACULTATIF :
➤ **Graines de sésame**
grillées
45 ml (3 c. à soupe)

Poulet au confit de tomates et au miel

Préparation : **15 minutes** • Cuisson à faible intensité : **5 heures** • Quantité : **4 portions**

Préparation

Déposer le poulet dans la mijoteuse. Ajouter les tomates et les oignons dans la mijoteuse.

Dans un bol, mélanger le bouillon de poulet avec le miel. Verser sur le poulet. Couvrir et cuire de 5 à 6 heures à faible intensité.

Au moment de servir, parsemer le poulet d'amandes et, si désiré, de graines de sésame.

PAR PORTION	
Calories	763
Protéines	47 g
Matières grasses	52 g
Glucides	28 g
Fibres	6 g
Fer	4 mg
Calcium	93 mg
Sodium	256 mg

Idée pour accompagner

Riz au four

Dans une cocotte allant au four, chauffer 30 ml (2 c. à soupe) d'huile d'olive à feu moyen. Saisir 1 oignon haché et 15 ml (1 c. à soupe) d'ail haché de 1 à 2 minutes. Ajouter 375 ml (1 ½ tasse) de riz blanc à grains longs et 1 tige de thym. Saler et poivrer. Remuer afin de bien enrober le riz d'huile. Cuire de 1 à 2 minutes. Verser 750 ml (3 tasses) de bouillon de poulet et chauffer jusqu'aux premiers frémissements. Couvrir et cuire au four de 18 à 20 minutes à 205 °C (400 °F), jusqu'à ce que le riz soit tendre.

1 poulet entier
de 1,5 kg (3 ⅓ lb)
coupé en huit morceaux

Sauce épicée au cumin et gingembre
de type Patak's
80 ml (⅓ de tasse)

Bouillon de poulet
250 ml (1 tasse)

Pâte de tomates
80 ml (⅓ de tasse)

8 abricots séchés

PRÉVOIR AUSSI :

➤ 1 **oignon**
haché

➤ 2 **carottes**
coupées en biseau

FACULTATIF :

➤ **Raisins secs**
80 ml (⅓ de tasse)

Poulet à la marocaine

Préparation : **15 minutes** • Cuisson à faible intensité : **5 heures** • Quantité : **4 portions**

Préparation

Dans une casserole, chauffer un peu d'huile d'olive à feu moyen. Faire dorer les morceaux de poulet de 2 à 3 minutes. Déposer les morceaux de poulet dans la mijoteuse. Ajouter l'oignon et les carottes.

Dans un bol, mélanger la sauce au cumin avec le bouillon de poulet et la pâte de tomates. Verser dans la mijoteuse. Remuer pour bien enrober les morceaux de poulet de sauce.

Couvrir et cuire de 4 heures 30 minutes à 5 heures 30 minutes à faible intensité.

Ajouter les abricots et, si désiré, les raisins secs dans la mijoteuse. Remuer. Couvrir et poursuivre la cuisson 30 minutes.

PAR PORTION	
Calories	766
Protéines	49 g
Matières grasses	55 g
Glucides	18 g
Fibres	3 g
Fer	4 mg
Calcium	62 mg
Sodium	394 mg

Version maison

Sauce épicée au cumin

Mélanger 250 ml (1 tasse) de bouillon de poulet avec 80 ml (⅓ de tasse) de pâte de tomates, 30 ml (2 c. à soupe) de gingembre haché, 15 ml (1 c. à soupe) d'ail haché, 15 ml (1 c. à soupe) de cumin, 5 ml (1 c. à thé) de curcuma et 1,25 ml (¼ de c. à thé) de piment de Cayenne.

Poulet ①
720 g (environ 1 ⅔ lb)
de poitrines sans peau
coupées en lanières

Vin blanc sec ②
125 ml (½ tasse)

Fond de veau ③
250 ml (1 tasse)

Champignons ④
émincés
1 contenant de 227 g

Mélange laitier
pour cuisson 5 % ⑤
125 ml (½ tasse)

Poitrines de poulet aux champignons

Préparation : **15 minutes** • Cuisson à faible intensité : **5 heures 10 minutes** • Quantité : **4 portions**

Préparation

Dans une poêle, chauffer un peu d'huile de canola à feu moyen. Faire dorer les lanières de poulet 1 minute de chaque côté. Déposer les lanières dans la mijoteuse.

Ajouter le vin blanc, le fond de veau et les champignons dans la mijoteuse. Remuer. Couvrir et cuire de 5 à 6 heures à faible intensité.

Ajouter le mélange laitier dans la mijoteuse. Remuer. Couvrir et poursuivre la cuisson 10 minutes.

PAR PORTION	
Calories	322
Protéines	48 g
Matières grasses	9 g
Glucides	4 g
Fibres	1 g
Fer	1 mg
Calcium	20 mg
Sodium	195 mg

Secret de chef

Pour une version sans lactose

Intolérant au lactose ? Ne désespérez pas ! Il suffit de remplacer le mélange laitier par la même quantité de lait de soya nature pour que vous puissiez, vous aussi, savourer ce repas !

Sauce de poisson ①
30 ml (2 c. à soupe)

Thé glacé ②
125 ml (½ tasse)

Gingembre ③
haché
15 ml (1 c. à soupe)

Sauce aux huîtres ④
30 ml (2 c. à soupe)

Poulet ⑤
12 hauts de cuisses
désossés et sans peau

PRÉVOIR AUSSI :
➤ **Ail**
haché
15 ml (1 c. à soupe)

FACULTATIF :
➤ **Citronnelle**
2 tiges

Poulet effiloché à l'asiatique

Préparation : **15 minutes** • Cuisson à faible intensité : **6 heures 30 minutes** • Quantité : **4 portions**

Préparation

Dans la mijoteuse, fouetter la sauce de poisson avec le thé glacé, le gingembre, la sauce aux huîtres et l'ail. Ajouter les hauts de cuisses et, si désiré, les tiges de citronnelle. Remuer.

Couvrir et cuire de 6 à 7 heures à faible intensité.

Retirer les hauts de cuisses et les tiges de citronnelle de la mijoteuse. Effilocher le poulet et le remettre dans la mijoteuse. Remuer.

Couvrir et prolonger la cuisson de 30 minutes.

Servir le poulet effiloché en sandwich avec la salade de chou chinois (voir recette ci-dessous).

PAR PORTION	
Calories	242
Protéines	34 g
Matières grasses	9 g
Glucides	5 g
Fibres	0 g
Fer	2 mg
Calcium	28 mg
Sodium	1 109 mg

Idée pour accompagner

Salade de chou chinois

Dans un saladier, mélanger 125 ml (½ tasse) de vinaigrette aux graines de pavot avec 30 ml (2 c. à soupe) de coriandre hachée, 500 ml (2 tasses) de chou chinois émincé, 2 bok choys émincés, 1 carotte râpée et 1 poivron rouge émincé.

Cari au poulet et noix de cajou

Préparation : **15 minutes** • Cuisson à faible intensité : **6 heures** • Quantité : **4 portions**

Préparation

Couper les hauts de cuisses en morceaux d'environ 2 cm (¾ de po).

Dans une poêle, chauffer un peu d'huile de sésame (non grillé) ou de canola à feu moyen. Faire dorer les morceaux de poulet de 2 à 3 minutes.

Dans la mijoteuse, fouetter le lait de coco avec la pâte de cari, le jus de lime et le sucre. Ajouter le poulet dans la mijoteuse et remuer pour bien l'enrober de sauce.

Ajouter le poivron et l'oignon. Couvrir et cuire de 5 heures 30 minutes à 6 heures 30 minutes à faible intensité.

Ajouter les noix de cajou et remuer. Couvrir et prolonger la cuisson de 30 minutes.

PAR PORTION	
Calories	500
Protéines	38 g
Matières grasses	31 g
Glucides	17 g
Fibres	2 g
Fer	4 mg
Calcium	48 mg
Sodium	428 mg

Poulet ①
12 hauts de cuisses désossés et sans peau

Lait de coco ②
180 ml (¾ de tasse)

Pâte de cari rouge ③
15 ml (1 c. à soupe)

1 poivron rouge ④
émincé

Noix de cajou ⑤
grillées
125 ml (½ tasse)

PRÉVOIR AUSSI :

➤ **Lime**
30 ml (2 c. à soupe)
de jus

➤ **Sucre**
7,5 ml (½ c. à soupe)

➤ 1 petit **oignon**
émincé

Astuce 5•15

Des noix de cajou bien grillées

Pas besoin d'une cuisine de chef pour savourer de bonnes noix de cajou grillées à la perfection ! Il suffit de les cuire au four à 180 °C (350 °F) ou dans une poêle, en les surveillant régulièrement et en s'assurant de les mélanger quelques fois. Lorsque les arômes délicieux des noix commencent à s'échapper, c'est signe que c'est prêt (environ 10 à 15 minutes au four) ! Retirez alors les noix du four ou de la poêle, puis déposez-les dans une assiette pour stopper la cuisson. Et pour ceux et celles qui veulent que ce soit plus rapide : de 2 à 4 minutes dans une assiette au micro-ondes vous donneront un résultat tout aussi délicieux !

1 poulet entier
de 1,25 kg (2 ¾ lb)
coupé en huit morceaux

①

Chorizo
coupé en cubes
200 g (environ ½ lb)

②

16 olives noires
dénoyautées

③

Vin blanc
80 ml (⅓ de tasse)

④

Sauce tomate
500 ml (2 tasses)

⑤

PRÉVOIR AUSSI :
➤ **Ail**
haché
15 ml (1 c. à soupe)

➤ **Paprika**
15 ml (1 c. à soupe)

FACULTATIF :
➤ **1 poivron jaune**
émincé

Poulet à l'espagnole

Préparation : **15 minutes** • Cuisson à faible intensité : **5 heures** • Quantité : **de 4 à 6 portions**

Préparation

Dans une casserole, chauffer un peu d'huile d'olive à feu moyen. Faire dorer les morceaux de poulet de 2 à 3 minutes. Déposer les morceaux de poulet dans la mijoteuse.

Ajouter le chorizo, les olives et, si désiré, le poivron.

Dans un bol, mélanger le vin blanc avec la sauce tomate, l'ail et le paprika. Verser dans la mijoteuse et remuer pour bien enrober les morceaux de poulet de sauce.

Couvrir et cuire de 5 à 6 heures à faible intensité.

PAR PORTION	
Calories	531
Protéines	31 g
Matières grasses	40 g
Glucides	8 g
Fibres	2 g
Fer	3 mg
Calcium	32 mg
Sodium	992 mg

Astuce 5•15

Faites du boucher votre meilleur ami !

Couper un poulet entier sans se tracasser, c'est facile ! Il suffit de demander à votre boucher de le faire. C'est un service offert gratuitement dans la plupart des supermarchés qui vous rendra la vie plus facile et qui assurera une coupe quasi parfaite de votre poulet.

1 poulet entier
de 1,25 kg (2 ¾ lb)
coupé en huit morceaux

1 oignon
haché

6 champignons
émincés

Ail
haché
5 ml (1 c. à thé)

Sauce marinara
500 ml (2 tasses)

Poitrines de poulet cacciatore

Préparation : **15 minutes** • Cuisson à faible intensité : **5 heures** • Quantité : **4 portions**

Préparation

Dans une casserole, chauffer un peu d'huile d'olive à feu moyen. Faire dorer les morceaux de poulet de 2 à 3 minutes. Déposer les morceaux de poulet dans la mijoteuse.

Ajouter l'oignon, les champignons et l'ail dans la mijoteuse.

Verser la sauce marinara sur le poulet et remuer.

Couvrir et cuire de 5 à 6 heures à faible intensité.

PAR PORTION	
Calories	319
Protéines	34 g
Matières grasses	9 g
Glucides	23 g
Fibres	4 g
Fer	2 mg
Calcium	47 mg
Sodium	619 mg

Idée pour accompagner

Brocoli au citron

Dans une casserole d'eau bouillante salée, cuire 1 brocoli coupé en petits bouquets de 4 à 5 minutes. Égoutter. Garnir de 15 ml (1 c. à soupe) de zestes de citron. Saler et poivrer.

Poulet ①
4 poitrines sans peau
coupées en cubes

Sauce pour poulet au beurre ②
375 ml (1 ½ tasse)

Ail ③
haché
15 ml (1 c. à soupe)

Yogourt nature 2 % ④
125 ml (½ tasse)

Coriandre ⑤
30 ml (2 c. à soupe)
de feuilles

FACULTATIF :
➤ **Gingembre**
haché
15 ml (1 c. à soupe)

Poulet au beurre

Préparation : **15 minutes** • Cuisson à faible intensité : **5 heures 10 minutes** • Quantité : **4 portions**

Préparation

Dans une poêle, faire fondre un peu de beurre à feu moyen. Faire dorer les cubes de poulet de 2 à 3 minutes. Déposer les cubes dans la mijoteuse.

Ajouter la sauce au beurre, l'ail et, si désiré, le gingembre dans la mijoteuse. Saler, poivrer et remuer.

Couvrir et cuire de 5 à 6 heures à faible intensité.

Ajouter le yogourt et remuer. Prolonger la cuisson de 10 minutes.

Au moment de servir, garnir de coriandre.

PAR PORTION	
Calories	312
Protéines	34 g
Matières grasses	13 g
Glucides	13 g
Fibres	1 g
Fer	1 mg
Calcium	112 mg
Sodium	512 mg

Idée pour accompagner

Légumes rôtis à l'indienne

Dans un grand bol, mélanger 30 ml (2 c. à soupe) d'huile de canola avec 15 ml (1 c. à soupe) de cari, 10 ml (2 c. à thé) de grains de coriandre, 5 ml (1 c. à thé) de grains de cumin et 5 ml (1 c. à thé) de curcuma. Ajouter 3 carottes émincées, 2 courgettes coupées en cubes, ½ chou-fleur coupé en bouquets et 12 pommes de terre grelots coupées en deux. Saler, poivrer et remuer. Transférer les légumes sur une plaque de cuisson tapissée de papier d'aluminium. Cuire au four de 30 à 35 minutes à 205 °C (400 °F).

Dinde ①
675 g (environ 1 ½ lb)
de poitrine sans peau

Tomates en dés ②
1 boîte de 540 ml

Chorizo ③
coupé en rondelles
1 paquet de 200 g

**Pommes de terre
parisiennes** ④
1 paquet de 500 g

Paprika fumé doux ⑤
15 ml (1 c. à soupe)

PRÉVOIR AUSSI :
➤ **Farine**
125 ml (½ tasse)

➤ **Ail**
haché
15 ml (1 c. à soupe)

FACULTATIF :
➤ **Thym**
1 tige

Stew à la dinde et chorizo

Préparation : **15 minutes** • Cuisson à faible intensité : **6 heures** • Quantité : **4 portions**

Préparation

Couper la poitrine de dinde en cubes.

Déposer la farine dans un grand sac hermétique. Ajouter les cubes de dinde et secouer pour bien les enrober de farine. Retirer les cubes de dinde du sac et les secouer afin de retirer l'excédent de farine. Déposer dans la mijoteuse.

Ajouter les tomates en dés, le chorizo, les pommes de terre parisiennes, le paprika, l'ail et, si désiré, le thym dans la mijoteuse. Poivrer.

Couvrir et cuire de 6 à 7 heures à faible intensité.

PAR PORTION	
Calories	532
Protéines	61 g
Matières grasses	14 g
Glucides	41 g
Fibres	5 g
Fer	5 mg
Calcium	115 mg
Sodium	1 226 mg

Idée pour accompagner

Gremolata aux fines herbes et citron

Mélanger 60 ml (¼ de tasse) de persil haché avec 30 ml (2 c. à soupe) de ciboulette hachée, 15 ml (1 c. à soupe) d'origan haché et 15 ml (1 c. à soupe) de zestes de citron.

Tomates étuvées aux poivrons verts
1 boîte de 540 ml
1

Fromage à la crème nature
ramolli
1 contenant de 250 g
2

Maïs
250 ml (1 tasse)
de grains
3

Poulet
4 poitrines sans peau
4

8 tortillas
5

Tortillas au poulet à la sauce crémeuse

Préparation : **15 minutes** • Cuisson à faible intensité : **5 heures** • Quantité : *de 4 à 6 portions*

Préparation

Dans la mijoteuse, mélanger les tomates étuvées avec le fromage à la crème, le maïs et, si désiré, les oignons verts.

Ajouter les poitrines de poulet dans la mijoteuse. Poivrer et remuer.

Couvrir et cuire de 5 à 6 heures à faible intensité.

Retirer les poitrines de poulet de la mijoteuse et effilocher le poulet à l'aide de deux fourchettes.

Garnir les tortillas de la préparation au poulet.

PAR PORTION	
Calories	424
Protéines	28 g
Matières grasses	19 g
Glucides	36 g
Fibres	3 g
Fer	1 mg
Calcium	80 mg
Sodium	813 mg

Idée pour accompagner

Salsa aux tomates et oignon

Dans un bol, mélanger 3 tomates italiennes coupées en dés avec ½ oignon rouge coupé en dés, 15 ml (1 c. à soupe) d'ail haché et 60 ml (¼ de tasse) de coriandre hachée. Ajouter 15 ml (1 c. à soupe) de jus de citron et 15 ml (1 c. à soupe) d'huile d'olive. Saler, poivrer et remuer.

FACULTATIF :
> 2 **oignons verts**
émincés

Poulet
1
1 kg (environ 2 ¼ lb) de
cuisses coupées en deux
la peau enlevée

Bouillon à fondue
2
250 ml (1 tasse)

Pâte de tomates
3
30 ml (2 c. à soupe)

Champignons
4
coupés en quartiers
250 ml (1 tasse)

Tomates en dés
aux fines herbes
5
1 boîte de 540 ml

PRÉVOIR AUSSI :
➤ **Farine**
30 ml (2 c. à soupe)

➤ **Oignons perlés**
épluchés
250 ml (1 tasse)

FACULTATIF :
➤ **Mini-carottes**
1 paquet de 250 g

Fricassée de poulet aux légumes

Préparation : **15 minutes** • Cuisson à faible intensité : **7 heures** • Quantité : **4 portions**

Préparation

Dans une poêle, chauffer un peu d'huile de canola à feu moyen. Faire dorer les morceaux de poulet sur toutes les faces de 2 à 3 minutes.

Saupoudrer le poulet de farine et remuer. Transférer dans la mijoteuse.

Ajouter le bouillon à fondue, la pâte de tomates, les oignons perlés et, si désiré, les mini-carottes dans la mijoteuse. Remuer.

Couvrir et cuire de 6 à 8 heures à faible intensité.

Ajouter les champignons et les tomates en dés. Remuer. Couvrir et prolonger la cuisson de 1 heure.

PAR PORTION	
Calories	475
Protéines	51 g
Matières grasses	17 g
Glucides	28 g
Fibres	4 g
Fer	3 mg
Calcium	82 mg
Sodium	819 mg

Idée pour accompagner

Salade César express

Dans un saladier, fouetter 80 ml (⅓ de tasse) de mayonnaise avec 15 ml (1 c. à soupe) de jus de citron, 10 ml (2 c. à thé) de câpres hachées et 5 ml (1 c. à thé) de moutarde de Dijon. Ajouter 500 ml (2 tasses) de laitue romaine déchiquetée, 250 ml (1 tasse) de croûtons nature, 80 ml (⅓ de tasse) de bacon cuit émietté et 80 ml (⅓ de tasse) de parmesan râpé. Remuer.

Marmelade ①
225 ml (environ 1 tasse)

Sauce demi-glace ②
250 ml (1 tasse)

Sauce barbecue ③
180 ml (¾ de tasse)

Gingembre ④
haché
15 ml (1 c. à soupe)

Poulet ⑤
12 hauts de cuisses
désossés et sans peau

Poulet à l'orange

Préparation : **15 minutes** • Cuisson à faible intensité : **4 heures** • Cuisson de la sauce : **10 minutes**
Quantité : **4 portions**

Préparation

Dans la mijoteuse, mélanger la marmelade avec la sauce demi-glace, la sauce barbecue et le gingembre. Poivrer.

Ajouter les hauts de cuisses de poulet. Remuer.

Couvrir et cuire de 4 à 5 heures à faible intensité.

Verser la sauce contenue dans la mijoteuse dans une casserole. Chauffer à feu doux-moyen, jusqu'à ce que la sauce ait réduit de moitié et que la consistance soit onctueuse. Servir avec les hauts de cuisses.

PAR PORTION	
Calories	404
Protéines	34 g
Matières grasses	9 g
Glucides	44 g
Fibres	1 g
Fer	2 mg
Calcium	30 mg
Sodium	1 105 mg

Idée pour accompagner

Riz au poivron rouge

Dans une casserole allant au four, faire fondre 30 ml (2 c. à soupe) de beurre à feu moyen. Cuire 1 oignon haché et 1 gousse d'ail hachée 1 minute. Ajouter 250 ml (1 tasse) de riz blanc à grains longs, 375 ml (1 ½ tasse) de bouillon de poulet et 1 poivron rouge coupé en dés. Saler, poivrer et remuer. Porter à ébullition, puis couvrir et cuire au four de 18 à 20 minutes à 205 °C (400 °F). Parsemer de 15 ml (1 c. à soupe) de persil haché.

Poulet haché ①
1 kg (environ 2 ¼ lb)

Mélange de légumes frais pour sauce à spaghetti ②
1 sac de 700 g

Tomates italiennes en dés ③
2 boîtes de 540 ml chacune

Pâte de tomates ④
1 boîte de 156 ml

Herbes de Provence ⑤
15 ml (1 c. à soupe)

PRÉVOIR AUSSI :
➤ **2 oignons**
hachés

➤ **Sucre**
15 ml (1 c. à soupe)

FACULTATIF :
➤ **Ail**
haché
15 ml (1 c. à soupe)

➤ **Champignons**
tranchés
1 contenant de 227 g

➤ **Piment fort broyé**
2,5 ml (½ c. à thé)

Sauce à spaghetti au poulet

Préparation : **15 minutes** • Cuisson à faible intensité : **7 heures** • Quantité : **3 litres (12 tasses)**

Préparation

Dans une casserole, chauffer un peu d'huile d'olive à feu moyen. Saisir le poulet haché de 2 à 3 minutes en l'égrainant à l'aide d'une cuillère en bois. Transférer dans la mijoteuse.

Dans la même casserole, ajouter le mélange de légumes, les oignons et, si désiré, l'ail. Cuire 2 minutes en remuant.

Transférer la préparation dans la mijoteuse. Ajouter les tomates en dés, la pâte de tomates, les herbes de Provence, le sucre et, si désiré, les champignons et le piment fort broyé. Remuer.

Couvrir et cuire de 7 à 8 heures à faible intensité.

PAR PORTION	
Pour 250 ml (1 tasse) de sauce	
Calories	189
Protéines	17 g
Matières grasses	12 g
Glucides	13 g
Fibres	3 g
Fer	2 mg
Calcium	111 mg
Sodium	405 mg

Idée pour accompagner

Courge spaghetti

Couper 2 petites courges spaghetti en deux sur la longueur. Retirer les filaments et les graines. Déposer sur une plaque de cuisson, côté chair dessus. Arroser de 30 ml (2 c. à soupe) d'huile d'olive. Saler. Cuire 25 minutes au four à 205 °C (400 °F). À l'aide d'une fourchette, effilocher la chair de la courge.

Poulet ①

450 g (1 lb) de hauts
de cuisses désossés
et sans peau

Sauce sichuanaise ②

du commerce
250 ml (1 tasse)

Gingembre ③

râpé
5 ml (1 c. à thé)

1 oignon ④

émincé

Arachides ⑤

non salées
125 ml (½ tasse)

Poulet aux arachides à l'asiatique

Préparation : **10 minutes** • Cuisson à faible intensité : **5 heures** • Quantité : **de 4 à 6 portions**

Préparation

Couper les hauts de cuisses en lanières minces.

Dans une poêle, chauffer un peu d'huile de canola à feu moyen. Faire dorer les lanières de poulet de 2 à 3 minutes. Déposer dans la mijoteuse.

Dans un bol, mélanger la sauce sichuanaise avec le gingembre et l'oignon. Verser dans la mijoteuse. Remuer pour bien enrober le poulet de sauce.

Couvrir et cuire de 4 heures 30 minutes à 5 heures 30 minutes à faible intensité.

Ajouter les arachides dans la mijoteuse. Couvrir et poursuivre la cuisson 30 minutes.

PAR PORTION	
Calories	242
Protéines	18 g
Matières grasses	12 g
Glucides	13 g
Fibres	1 g
Fer	1 mg
Calcium	26 mg
Sodium	1 568 mg

Version maison

Sauce sichuanaise

Mélanger 60 ml (¼ de tasse) de mirin avec 60 ml (¼ de tasse) de sauce soya réduite en sodium, 60 ml (¼ de tasse) d'eau, 30 ml (2 c. à soupe) de cassonade, 15 ml (1 c. à soupe) d'huile de sésame (non grillé), 10 ml (2 c. à thé) de sauce de poisson, 10 ml (2 c. à thé) de fécule de maïs, 5 ml (1 c. à thé) de gingembre râpé, 1 pincée de flocons de piment et 1 gousse d'ail hachée finement.

Poulet
4 poitrines sans peau
coupées en lanières

1

1 poivron orange
émincé

2

Tomates en dés
1 boîte de 540 ml

3

16 olives vertes

4

Cœurs d'artichauts marinés
égouttés
1 contenant de 340 ml

5

PRÉVOIR AUSSI :
➤ 1 **oignon**
émincé

FACULTATIF :
➤ **Ail**
haché
15 ml (1 c. à soupe)

Émincé de poulet aux olives

Préparation : **15 minutes** • Cuisson à faible intensité : **6 heures** • Quantité : **4 portions**

Préparation

Dans une casserole, chauffer un peu d'huile d'olive à feu moyen. Faire dorer les lanières de poulet de 2 à 3 minutes. Déposer dans la mijoteuse.

Ajouter le poivron, les tomates en dés, les olives, l'oignon et, si désiré, l'ail dans la mijoteuse. Saler et poivrer. Remuer.

Couvrir et cuire de 5 à 6 heures à faible intensité.

Ajouter les cœurs d'artichauts dans la mijoteuse et remuer. Couvrir et prolonger la cuisson de 1 heure.

PAR PORTION	
Calories	311
Protéines	34 g
Matières grasses	12 g
Glucides	17 g
Fibres	4 g
Fer	3 mg
Calcium	92 mg
Sodium	563 mg

Idée pour accompagner

Riz basmati au basilic

Rincer 250 ml (1 tasse) de riz basmati à l'eau froide. Déposer dans une casserole avec 500 ml (2 tasses) de bouillon de poulet et 15 ml (1 c. à soupe) d'assaisonnements pour poulet. Couvrir et porter à ébullition à feu moyen. Laisser mijoter de 18 à 20 minutes à feu doux-moyen. Ajouter 30 ml (2 c. à soupe) de ciboulette hachée et 30 ml (2 c. à soupe) de basilic haché. Saler, poivrer et remuer.

Ananas ①
en tranches
avec le jus
1 boîte de 398 ml

Sauce chili épicée thaï ②
80 ml (⅓ de tasse)

Ketchup ③
125 ml (½ tasse)

Poulet ④
675 g (environ 1 ½ lb)
de poitrines sans peau
coupées en cubes

3 poivrons de ⑤
couleurs variées

FACULTATIF :

➤ **Gingembre**
haché
15 ml (1 c. à soupe)

PRÉVOIR AUSSI :

➤ 1 petit **oignon rouge**

➤ 3 **oignons verts**
émincés

Poulet sauce aigre-douce à l'ananas

Préparation : **15 minutes** • Cuisson à faible intensité : **4 heures** • Quantité : **4 portions**

Préparation

Dans la mijoteuse, mélanger le jus d'ananas avec la sauce chili thaï, le ketchup et, si désiré, le gingembre.

Dans une poêle, chauffer un peu d'huile d'olive à feu moyen. Faire dorer les cubes de poulet 2 minutes. Transférer les cubes de poulet dans la mijoteuse et remuer pour bien les enrober de sauce.

Couper les poivrons, l'oignon rouge et les tranches d'ananas en cubes. Ajouter dans la mijoteuse. Saler, poivrer et remuer.

Couvrir et cuire de 4 à 5 heures à faible intensité.

Si désiré, parsemer d'oignons verts au moment de servir.

PAR PORTION	
Calories	379
Protéines	41 g
Matières grasses	7 g
Glucides	40 g
Fibres	3 g
Fer	2 mg
Calcium	47 mg
Sodium	913 mg

Idée pour accompagner

Riz au thé et à la lime

Dans une casserole, faire fondre 15 ml (1 c. à soupe) de beurre à feu moyen. Cuire 1 oignon haché et 1 gousse d'ail hachée 1 minute. Ajouter 250 ml (1 tasse) de riz basmati rincé et égoutté. Remuer. Verser 500 ml (2 tasses) de bouillon de poulet. Saler, poivrer et remuer. Porter à ébullition, puis ajouter 1 sachet de thé vert. Couvrir et laisser mijoter 5 minutes. Retirer le sachet de thé de la casserole et prolonger la cuisson de 13 à 15 minutes. Incorporer 30 ml (2 c. à soupe) de ciboulette hachée et 15 ml (1 c. à soupe) de zestes de lime.

Porc succulent

Économique, polyvalent, facile à apprêter... avec toutes ces qualités, impossible de ne pas craquer pour le porc! Des côtes levées au filet en passant par le traditionnel jambon et le délectable osso buco... autant de recettes doucement mitonnées pour un maximum de tendreté!

Mirin ①
80 ml (⅓ de tasse)

Sauce hoisin ②
45 ml (3 c. à soupe)

Sauce aux huîtres ③
45 ml (3 c. à soupe)

Miel ④
30 ml (2 c. à soupe)

Porc ⑤
1 rôti de longe sans os
de 755 g (1 ⅔ lb)

PRÉVOIR AUSSI :
➤ **Ail**
haché
5 ml (1 c. à thé)
➤ **Fécule de maïs**
15 ml (1 c. à soupe)

FACULTATIF :
➤ **Gingembre**
haché
15 ml (1 c. à soupe)
➤ **2 anis étoilés**

Rôti de porc caramélisé à l'asiatique

Préparation : **15 minutes** • Cuisson à faible intensité : **5 heures** • Quantité : *de 4 à 6 portions*

Préparation

Dans un bol, fouetter le mirin avec la sauce hoisin, la sauce aux huîtres, le miel, l'ail et, si désiré, le gingembre et les anis étoilés. Verser dans la mijoteuse.

Dans une grande poêle, chauffer un peu d'huile d'olive à feu moyen. Saisir le rôti de 2 à 3 minutes sur toutes les faces. Saler et poivrer.

Ajouter le rôti dans la mijoteuse et le retourner sur toutes les faces pour bien l'enrober de sauce. Couvrir et cuire de 5 à 6 heures à faible intensité.

Retirer le rôti de la mijoteuse et réserver dans une assiette.

Transvider la sauce contenue dans la mijoteuse dans une casserole. Porter à ébullition.

Délayer la fécule de maïs dans un peu d'eau froide. Incorporer à la sauce en fouettant jusqu'à épaississement.

Servir le rôti de porc avec la sauce.

PAR PORTION	
Calories	369
Protéines	26 g
Matières grasses	18 g
Glucides	22 g
Fibres	0 g
Fer	1 mg
Calcium	14 mg
Sodium	474 mg

Idée pour accompagner

Carottes glacées orange et coriandre

Dans une casserole, mélanger 125 ml (½ tasse) de jus d'orange avec 60 ml (¼ de tasse) de sirop d'érable. Porter à ébullition. Ajouter 12 petites carottes et 1 feuille de laurier. Saler et poivrer. Couvrir et laisser mijoter de 12 à 15 minutes à feu moyen. Au moment de servir, parsemer de 30 ml (2 c. à soupe) de feuilles de coriandre.

Porc ❶
4 côtelettes
gras enlevé

Sauce tomate ❷
375 ml (1 ½ tasse)

Maïs ❸
égoutté
1 boîte de grains
de 199 ml

Haricots rouges ❹
rincés et égouttés
1 boîte de 540 ml

Cheddar ❺
râpé
250 ml (1 tasse)

Côtelettes de porc à la mexicaine

Préparation : **10 minutes** • Cuisson à faible intensité : **7 heures** • Quantité : **4 portions**

Préparation

Dans une poêle, chauffer un peu d'huile d'olive à feu moyen. Faire dorer les côtelettes 1 minute de chaque côté. Déposer dans la mijoteuse.

Dans un bol, mélanger la sauce tomate avec le maïs, les haricots et, si désiré, les épices tex-mex. Verser sur les côtelettes.

Couvrir et cuire de 7 heures à 7 heures 30 minutes à faible intensité.

Au moment de servir, garnir de fromage râpé.

PAR PORTION	
Calories	459
Protéines	39 g
Matières grasses	18 g
Glucides	37 g
Fibres	9 g
Fer	5 mg
Calcium	269 mg
Sodium	872 mg

Idée pour accompagner

Purée de pommes de terre à la ciboulette

Peler et couper en cubes de 6 à 8 pommes de terre. Déposer dans une casserole et couvrir d'eau froide. Saler. Porter à ébullition, puis cuire jusqu'à tendreté. Égoutter et réduire en purée. Incorporer 80 ml (⅓ de tasse) de lait chaud, 15 ml (1 c. à soupe) de beurre et 30 ml (2 c. à soupe) de ciboulette hachée.

FACULTATIF :
➤ **Épices tex-mex**
   10 ml (2 c. à thé)

Jambon à l'ananas

Préparation : **15 minutes** • Cuisson à faible intensité : **8 heures** • Quantité : de 4 à 6 portions

Préparation

Si désiré, dessaler l'épaule de porc : déposer celle-ci dans une casserole et couvrir d'eau. Porter à ébullition, puis laisser mijoter 30 minutes. Égoutter et jeter l'eau. Répéter si désiré.

Dans un bol, mélanger la moutarde avec le sirop d'érable, les clous de girofle, le bouillon de poulet, les oignons et, si désiré, le thym et la feuille de laurier.

Déposer l'épaule de porc dans la mijoteuse. Répartir les ananas autour du jambon et verser le jus contenu dans la boîte d'ananas.

Verser la préparation au sirop d'érable sur le jambon. Couvrir et cuire de 8 à 9 heures à faible intensité.

PAR PORTION	
avec jambon non dessalé	
Calories	486
Protéines	39 g
Matières grasses	21 g
Glucides	37 g
Fibres	2 g
Fer	3 mg
Calcium	55 mg
Sodium	3 045 mg

Porc ❶
1 épaule fumée picnic avec os de 1,5 kg (3 ⅓ lb)

Moutarde de Dijon ❷
30 ml (2 c. à soupe)

Sirop d'érable ❸
125 ml (½ tasse)

2 clous de girofle ❹

Ananas ❺
en tranches ou en gros morceaux, non égouttés
1 boîte de 398 ml

Idée pour accompagner

Légumes d'automne

Profitez des légumes de saison pour boni-fier ce jambon à l'ananas ! Pour ce faire, ajoutez 4 carottes et 4 panais coupés en rondelles ainsi que 20 haricots verts dans la mijoteuse, en même temps que les ananas.

PRÉVOIR AUSSI :
➤ **Bouillon de poulet**
125 ml (½ tasse)
➤ 2 **oignons**
hachés

FACULTATIF :
➤ **Thym**
haché
5 ml (1 c. à thé)
➤ **Laurier**
1 feuille

Porc
675 g (environ 1 ½ lb)
de cubes à ragoût ❶

Sauce aux prunes ❷
125 ml (½ tasse)

Sauce soya ❸
30 ml (2 c. à soupe)

Sauce chili ❹
60 ml (¼ de tasse)

Gingembre ❺
haché
30 ml (2 c. à soupe)

PRÉVOIR AUSSI :
➤ **Bouillon de poulet**
250 ml (1 tasse)

➤ **Ail**
haché
15 ml (1 c. à soupe)

FACULTATIF :
➤ 1 anis étoilé

➤ **Mélange chinois cinq épices**
1,25 ml
(¼ de c. à thé)

Mijoté de porc à la sauce aux prunes

Préparation : **15 minutes** • Cuisson à faible intensité : **6 heures** • Quantité : **4 portions**

Préparation

Dans une poêle, chauffer un peu d'huile de canola à feu moyen. Faire dorer les cubes de porc sur toutes les faces, puis les déposer dans la mijoteuse.

Dans un bol, fouetter la sauce aux prunes avec la sauce soya, la sauce chili, le gingembre, le bouillon de poulet, l'ail et, si désiré, l'anis étoilé et le mélange chinois cinq épices. Verser sur le porc. Poivrer.

Couvrir et cuire de 6 à 8 heures à faible intensité.

PAR PORTION	
Calories	379
Protéines	38 g
Matières grasses	14 g
Glucides	23 g
Fibres	2 g
Fer	3 mg
Calcium	47 mg
Sodium	1 096 mg

Idée pour accompagner

Sauté de légumes à l'asiatique

Couper 2 carottes en biseaux. Émincer 1 oignon, 1 poivron vert et 1 poivron jaune. Couper 1 brocoli en petits bouquets. Dans une grande poêle ou dans un wok, chauffer 15 ml (1 c. à soupe) d'huile d'olive à feu moyen. Cuire les légumes de 5 à 7 minutes. Ajouter 10 ml (2 c. à thé) de vinaigre de riz et 5 ml (1 c. à thé) de miel. Remuer.

6 pommes de terre ①
pelées et coupées en quatre

Porc ②
1 rôti d'épaule sans os
de 1 kg (environ 2 ¼ lb)

Ail ③
2 gousses pelées et
coupées en quatre
morceaux chacune

Moutarde de Dijon ④
30 ml (2 c. à soupe)

Bouillon de poulet ⑤
250 ml (1 tasse)

PRÉVOIR AUSSI :
➤ **2 oignons**
émincés

FACULTATIF :
➤ **Thym**
1 tige
➤ **Romarin**
1 tige

Rôti de porc à l'ail et patates jaunes

Préparation : **15 minutes** • Cuisson à faible intensité : **4 heures** • Quantité : **de 4 à 6 portions**

Préparation

Déposer les pommes de terre dans la mijoteuse.

À l'aide de la pointe d'un couteau, pratiquer huit
petites incisions dans la chair du rôti et y insérer
les morceaux d'ail.

Dans une grande poêle, chauffer un peu d'huile d'olive à
feu moyen-élevé. Faire dorer le rôti sur toutes les faces,
puis le déposer dans la mijoteuse.

Ajouter la moutarde de Dijon, le bouillon
de poulet, les oignons et, si désiré, le thym
et le romarin dans la mijoteuse.

Couvrir et cuire de 4 à 6 heures à faible intensité
ou de 2 à 3 heures à intensité élevée jusqu'à ce
que la température interne de la viande atteigne
70 °C (160 °F) sur un thermomètre à cuisson.

PAR PORTION	
Calories	543
Protéines	32 g
Matières grasses	34 g
Glucides	26 g
Fibres	3 g
Fer	3 mg
Calcium	39 mg
Sodium	303 mg

Idée pour accompagner

Pois verts à la fleur de sel

Dans une poêle, faire fondre 30 ml (2 c. à soupe)
de beurre à feu moyen. Cuire 1 oignon haché de
2 à 3 minutes. Ajouter 500 ml (2 tasses) de pois
verts surgelés, 80 ml (⅓ de tasse) de bouillon
de poulet et 1 tige de thym. Remuer. Couvrir
et cuire de 12 à 15 minutes à feu doux-moyen.
Saupoudrer de fleur de sel et poivrer.

Porc ❶
2,5 kg (5 ½ lb) de côtes levées de dos

Sauce chili ❷
250 ml (1 tasse)

Ketchup ❸
piquant et épicé
125 ml (½ tasse)

Mélasse ❹
60 ml (¼ de tasse)

Bouillon de poulet ❺
125 ml (½ tasse)

PRÉVOIR AUSSI :
➤ **Vinaigre de vin rouge**
60 ml (¼ de tasse)
➤ **Cassonade**
30 ml (2 c. à soupe)

FACULTATIF :
➤ **Ail**
haché
10 ml (2 c. à thé)

Côtes levées barbecue

Préparation : **15 minutes** • Cuisson à faible intensité : **8 heures** • Quantité : **de 4 à 6 portions**

Préparation

Dans une grande casserole, déposer les côtes levées et couvrir d'eau froide. Porter à ébullition. Égoutter et rincer sous l'eau froide.

Dans un grand bol, mélanger la sauce chili avec le ketchup, la mélasse, le bouillon de poulet, le vinaigre, la cassonade et, si désiré, l'ail. Ajouter les côtes levées. Remuer afin de bien enrober la viande de sauce.

Déposer la préparation dans la mijoteuse. Couvrir et cuire de 8 à 10 heures à faible intensité.

PAR PORTION	
Calories	809
Protéines	61 g
Matières grasses	47 g
Glucides	30 g
Fibres	3 g
Fer	4 mg
Calcium	107 mg
Sodium	911 mg

Idée pour accompagner

Pommes de terre grelots à l'érable

Couper de 16 à 20 pommes de terre grelots de couleurs variées en deux. Dans un bol, mélanger les pommes de terre avec 30 ml (2 c. à soupe) d'huile d'olive, 30 ml (2 c. à soupe) de sirop d'érable, 15 ml (1 c. à soupe) d'ail haché, 5 ml (1 c. à thé) de romarin haché et 5 ml (1 c. à thé) de paprika. Saler et poivrer. Sur une plaque de cuisson tapissée de papier parchemin, déposer les pommes de terre. Cuire au four de 25 à 30 minutes à 190 °C (375 °F), en retournant les pommes de terre quelques fois en cours de cuisson.

Photo côtes levées : Shutterstock.

Porc ①
675 g (environ 1 ½ lb)
de filet

Bouillon de poulet ②
125 ml (½ tasse)

Miel ③
60 ml (¼ de tasse)

Vinaigre balsamique ④
60 ml (¼ de tasse)

Sauce soya ⑤
45 ml (3 c. à soupe)

PRÉVOIR AUSSI :
➤ Ail
haché
15 ml (1 c. à soupe)

FACULTATIF :
➤ Paprika fumé doux
10 ml (2 c. à thé)

Filet de porc miel et vinaigre balsamique

Préparation : **15 minutes** • Cuisson à faible intensité : **6 heures** • Quantité : **4 portions**

Préparation

Dans une grande poêle, chauffer un peu d'huile d'olive à feu moyen. Saisir le filet de porc de 2 à 3 minutes sur toutes les faces.

Dans un bol, mélanger le bouillon de poulet avec le miel, le vinaigre balsamique, la sauce soya, l'ail et, si désiré, le paprika. Verser dans la mijoteuse.

Déposer le filet de porc dans la mijoteuse. Retourner le filet quelques fois pour bien l'enrober de sauce.

Couvrir et cuire 6 heures à faible intensité.

PAR PORTION	
Calories	272
Protéines	39 g
Matières grasses	2 g
Glucides	22 g
Fibres	0 g
Fer	3 mg
Calcium	23 mg
Sodium	830 mg

Idée pour accompagner

Salade de tomates, feta et croustilles de pita

Couper 3 pitas en morceaux carrés. Déposer sur une plaque de cuisson et cuire au four 10 minutes à 205 °C (400 °F). Dans un saladier, verser 125 ml (½ tasse) de vinaigrette grecque. Ajouter 20 tomates cerises de couleurs variées coupées en deux, le contenu de 1 contenant de feta de 200 g émiettée, 2 radis émincés, 250 ml (1 tasse) de laitue romaine déchiquetée et les carrés de pitas. Saler, poivrer et remuer.

1 carotte ①

9 saucisses italiennes ②
membrane enlevée

Tomates en dés ③
1 boîte de 540 ml

Sauce tomate ④
250 ml (1 tasse)

Pâte de tomates ⑤
45 ml (3 c. à soupe)

PRÉVOIR AUSSI :
➤ 1 **oignon**
haché

➤ **Ail**
haché
10 ml (2 c. à thé)

Sauce italienne à la chair de saucisse

Préparation : **15 minutes** • Cuisson à faible intensité : **6 heures** • Quantité : **de 4 à 6 portions**

Préparation

Dans une casserole, chauffer un peu d'huile d'olive à feu moyen. Saisir l'oignon avec l'ail et la carotte.

Ajouter la chair des saucisses dans la casserole et cuire de 2 à 3 minutes en remuant avec une cuillère en bois afin d'égrainer la viande.

Déposer la préparation à la saucisse dans la mijoteuse. Ajouter les tomates en dés, la sauce tomate et la pâte de tomates. Remuer. Couvrir et cuire de 6 à 8 heures à faible intensité.

PAR PORTION	
Calories	448
Protéines	18 g
Matières grasses	38 g
Glucides	10 g
Fibres	2 g
Fer	3 mg
Calcium	62 mg
Sodium	1 194 mg

Pour varier

Bien que cette sauce soit parfaite pour accompagner les pâtes ou la courge spaghetti, rien ne vous empêche de la servir avec autre chose ! On peut évidemment penser aux pâtes de tofu ou de quinoa, mais elle peut aussi bonifier une poitrine de poulet, une côtelette de porc ou encore servir de garniture à une tortilla, voire à une pizza. Osez !

Porc
1 rôti d'épaule avec os
de 2 kg (environ 4 ½ lb)

1

**Assaisonnements
pour porc effiloché**
45 ml (3 c. à soupe)

2

Sauce barbecue
250 ml (1 tasse)

3

Ketchup
125 ml (½ tasse)

4

8 pains à hamburger

5

Burger à l'effiloché de porc

Préparation : **15 minutes** • Cuisson à faible intensité : **8 heures** • Quantité : **8 portions**

Préparation

Parer le rôti d'épaule en retirant l'excédent de gras.

Frotter le rôti avec les assaisonnements pour porc effiloché. Déposer le rôti dans la mijoteuse.

Dans un bol, mélanger la sauce barbecue avec le ketchup. Verser sur le rôti.

Couvrir et cuire 8 heures à faible intensité.

Retirer la viande de la mijoteuse et laisser tiédir.

Verser la sauce contenue dans la mijoteuse dans une casserole. Chauffer à feu moyen, jusqu'à ce que le liquide ait réduit de moitié et que la consistance soit sirupeuse.

Effilocher la viande à l'aide de deux fourchettes. Déposer dans la casserole et remuer.

Ouvrir les pains en deux et les faire griller au four 1 minute à la position « gril » (*broil*).

Garnir les pains de porc effiloché.

PAR PORTION	
Calories	554
Protéines	52 g
Matières grasses	16 g
Glucides	45 g
Fibres	2 g
Fer	4 mg
Calcium	86 mg
Sodium	1 814 mg

Idée pour accompagner

Salade de chou et pommes

Dans un saladier, mélanger 60 ml (¼ de tasse) d'huile d'olive avec 30 ml (2 c. à soupe) de vinaigre de cidre, 30 ml (2 c. à soupe) de sirop d'érable et 15 ml (1 c. à soupe) d'ail haché. Ajouter 500 ml (2 tasses) de chou émincé finement, 2 pommes taillées en julienne, 1 carotte taillée en julienne et 2 oignons verts émincés. Saler, poivrer et remuer.

Porc ①
1 épaule fumée picnic avec os de 2,25 kg (environ 5 lb)

Bière rousse ②
1 bouteille de 341 ml

Miel ③
80 ml (⅓ de tasse)

Mélasse ④
60 ml (¼ de tasse)

Moutarde de Dijon ⑤
30 ml (2 c. à soupe)

PRÉVOIR AUSSI :
➤ 2 **oignons** coupés en dés

FACULTATIF :
➤ 6 **clous de girofle**

Jambon au miel et à la bière rousse

Préparation : **15 minutes** • Cuisson à faible intensité : **8 heures** • Quantité : **8 portions**

Préparation

Si désiré, dessaler l'épaule de porc : déposer celle-ci dans une casserole et couvrir d'eau. Porter à ébullition, puis laisser mijoter 30 minutes. Égoutter et jeter l'eau. Répéter si désiré.

À l'aide d'un couteau, pratiquer des entailles sur la surface de la couenne de l'épaule de porc en formant un quadrillage.

Si désiré, piquer les clous de girofle dans l'épaule de porc.

Répartir les oignons dans la mijoteuse. Déposer l'épaule de porc sur les oignons.

Dans un bol, fouetter la bière avec le miel, la mélasse et la moutarde de Dijon. Verser la préparation sur l'épaule de porc.

Couvrir et cuire 8 heures à faible intensité, jusqu'à ce que la chair se détache facilement de l'os.

PAR PORTION	
avec jambon non dessalé	
Calories	511
Protéines	43 g
Matières grasses	23 g
Glucides	31 g
Fibres	1 g
Fer	3 mg
Calcium	34 mg
Sodium	3 340 mg

Idée pour accompagner

Salade du jardin

Dans un saladier, fouetter 45 ml (3 c. à soupe) d'huile d'olive avec 15 ml (1 c. à soupe) de vinaigre de vin rouge, 10 ml (2 c. à thé) de moutarde de Dijon et 10 ml (2 c. à thé) de sirop d'érable. Saler, poivrer et remuer. Ajouter 375 ml (1 ½ tasse) de laitue Boston déchiquetée, de 8 à 10 tomates raisins coupées en quartiers, ¼ d'oignon rouge émincé, 1 poivron rouge émincé, 1 carotte taillée en julienne et ½ concombre émincé. Remuer.

2 coqs au porc ①
(environ 700 g – 1 ½ lb)

Orange ②
125 ml (½ tasse) de jus +
30 ml (2 c. à soupe)
de zestes

Sirop d'érable ③
60 ml (¼ de tasse)

Sauce chili épicée thaï ④
60 ml (¼ de tasse)

Sauce soya ⑤
30 ml (2 c. à soupe)

PRÉVOIR AUSSI :
➤ **Ail**
haché
5 ml (1 c. à thé)

FACULTATIF :
➤ **Coriandre**
15 ml (1 c. à soupe)
de grains concassés

Coq au porc, sauce épicée agrumes et érable

Préparation : **15 minutes** • Cuisson à faible intensité : **6 heures** • Quantité : **4 portions**

Préparation

Dans une poêle, chauffer un peu d'huile de canola à feu moyen-élevé. Saisir les coqs au porc de 1 à 2 minutes de chaque côté. Déposer dans la mijoteuse.

Dans un bol, mélanger le jus d'orange avec les zestes, le sirop d'érable, la sauce chili, la sauce soya, l'ail et, si désiré, les grains de coriandre. Verser sur les coqs au porc.

Couvrir et cuire de 6 à 7 heures à faible intensité.

PAR PORTION	
Calories	319
Protéines	40 g
Matières grasses	6 g
Glucides	23 g
Fibres	0 g
Fer	2 mg
Calcium	42 mg
Sodium	900 mg

À découvrir

Le coq au porc

Coq ou porc ? C'est un peu les deux, car un coq au porc est constitué d'un filet de porc enrobé d'une poitrine de poulet, le tout attaché avec de la ficelle. Il est offert au comptoir de la boucherie des supermarchés, nature ou mariné, mais il est aussi possible de le préparer soi-même. Délicieux cuit à la mijoteuse, il se prête tout aussi bien à la cuisson sur le barbecue.

Sauce hoisin à l'ail ❶
de type VH
250 ml (1 tasse)

Porc ❷
1 filet de 680 g (1 ½ lb)
paré et coupé en 12 médaill-
lons de 1,5 cm (⅔ de po)

1 oignon ❸
émincé

1 poivron rouge ❹
émincé

Noix de cajou ❺
125 ml (½ tasse)

PRÉVOIR AUSSI :
➤ **Fécule de maïs**
10 ml (2 c. à thé)

➤ **Ail**
haché
15 ml (1 c. à soupe)

Médaillons de porc à la chinoise

Préparation : **15 minutes** • Cuisson à faible intensité : **5 heures** • Quantité : **4 portions**

Préparation

Dans un bol, fouetter la sauce hoisin avec la fécule de maïs. Verser dans la mijoteuse.

Ajouter les médaillons de porc, l'oignon, le poivron et l'ail dans la mijoteuse. Remuer pour les enrober de sauce. Couvrir et cuire de 5 à 6 heures à faible intensité.

Ajouter les noix de cajou dans la mijoteuse et remuer.

PAR PORTION	
Calories	489
Protéines	44 g
Matières grasses	16 g
Glucides	41 g
Fibres	3 g
Fer	4 mg
Calcium	64 mg
Sodium	617 mg

Version maison

Sauce hoisin à l'ail

Dans une casserole, porter à ébullition 250 ml (1 tasse) de bouillon de poulet avec 60 ml (¼ de tasse) de sauce hoisin, 30 ml (2 c. à soupe) de sauce soya, 15 ml (1 c. à soupe) de gingembre haché, 15 ml (1 c. à soupe) d'ail haché et 2,5 ml (½ c. à thé) de flocons de piment.

Porc ❶
1 rôti d'épaule picnic de
1,3 kg (environ 2 ¾ lb)

Bouillon de légumes ❷
250 ml (1 tasse)

Mélasse ❸
60 ml (¼ de tasse)

Soupe à l'oignon ❹
1 sachet de 55 g

4 pommes de terre ❺

PRÉVOIR AUSSI :
➤ **Ail**
2 gousses pelées et
coupées en quatre

➤ **2 carottes**
pelées et coupées
en morceaux

FACULTATIF :
➤ **½ rutabaga**
pelé et coupé
en morceaux

Épaule de porc braisée à la mélasse

Préparation : **15 minutes** • Cuisson à faible intensité : **8 heures** • Quantité : **de 6 à 8 portions**

Préparation

Avec la pointe d'un couteau, pratiquer huit petites incisions dans la chair de l'épaule de porc et y insérer les morceaux d'ail. Saler et poivrer.

Dans une grande poêle, chauffer un peu d'huile d'olive à feu moyen. Faire dorer l'épaule de porc sur toutes les faces.

Dans un bol, mélanger le bouillon de légumes avec la mélasse et le contenu du sachet de soupe à l'oignon. Verser dans la mijoteuse.

Déposer l'épaule de porc dans la mijoteuse. Ajouter les pommes de terre, les carottes et, si désiré, le rutabaga. Couvrir et cuire 8 heures à faible intensité.

PAR PORTION	
Calories	530
Protéines	29 g
Matières grasses	35 g
Glucides	23 g
Fibres	1 g
Fer	3 mg
Calcium	43 mg
Sodium	572 mg

Idée pour accompagner

Salade d'épinards, nectarines et tomates cerises

Dans un saladier, mélanger 60 ml (¼ de tasse) d'huile d'olive avec 30 ml (2 c. à soupe) de sirop d'érable, 15 ml (1 c. à soupe) de vinaigre de xérès et 2 oignons verts émincés. Saler et poivrer. Ajouter 750 ml (3 tasses) de bébés épinards, 2 nectarines coupées en quartiers et 8 tomates cerises coupées en deux. Remuer.

Porc ❶
1 épaule fumée picnic
avec os de 3,5 kg (7 ¾ lb)

Moutarde de Dijon ❷
80 ml (⅓ de tasse)

Bière rousse ou noire ❸
1 bouteille de 341 ml

Sirop d'érable ❹
250 ml (1 tasse)

1 carotte ❺
coupée en rondelles

PRÉVOIR AUSSI :
➤ 1 **oignon**
émincé

Jambon à l'érable
et moutarde de Dijon

Préparation : **10 minutes** • Cuisson à faible intensité : **10 heures** • Quantité : **de 12 à 15 portions**

Préparation

Badigeonner toute la surface du jambon de moutarde de Dijon.

Verser la bière et le sirop d'érable dans la mijoteuse. Remuer. Ajouter la carotte et l'oignon.

Déposer l'épaule de porc dans la mijoteuse, puis remplir la mijoteuse d'eau de façon à couvrir l'épaule de porc.

Couvrir et cuire 10 heures à faible intensité.

PAR PORTION	
avec jambon non dessalé	
Calories	412
Protéines	36 g
Matières grasses	19 g
Glucides	22 g
Fibres	0 g
Fer	2 mg
Calcium	30 mg
Sodium	2 828 mg

Idée pour accompagner

Salade croquante pomme-fenouil, sauce cari et noix

Dans un saladier, mélanger 60 ml (¼ de tasse) de mayonnaise avec 60 ml (¼ de tasse) de yogourt nature, 30 ml (2 c. à soupe) de ciboulette hachée, 15 ml (1 c. à soupe) de jus de citron et 5 ml (1 c. à thé) de cari. Saler et poivrer. À l'aide d'une mandoline ou d'un couteau, émincer finement le bulbe de 1 fenouil. Tailler 1 pomme Cortland en julienne. Déposer le fenouil et la pomme dans le saladier avec 60 ml (¼ de tasse) de noix de Grenoble hachées. Remuer.

Porc ❶
755 g (1 ⅔ lb) de filets
membrane enlevée

3 poires ❷
pelées et coupées
en quartiers

Vin rouge ❸
60 ml (¼ de tasse)

Sauce demi-glace ❹
250 ml (1 tasse)

Crème à cuisson 15 % ❺
80 ml (⅓ de tasse)

PRÉVOIR AUSSI :
➤ **1 oignon**
émincé
➤ **Sucre**
30 ml (2 c. à soupe)

Filets de porc aux poires et vin rouge

Préparation : **15 minutes** • Cuisson à faible intensité : **4 heures** • Quantité : **4 portions**

Préparation

Dans une grande poêle, chauffer un peu d'huile d'olive à feu moyen. Faire dorer les filets de porc sur toutes les faces. Déposer dans la mijoteuse.

Dans la même poêle, faire caraméliser les poires avec l'oignon et le sucre de 1 à 2 minutes. Déglacer avec le vin rouge. Déposer la préparation dans la mijoteuse.

Verser la sauce demi-glace dans la mijoteuse.

Couvrir et cuire 4 heures à faible intensité.

Transvider la sauce contenue dans la mijoteuse dans une casserole. Incorporer la crème et cuire jusqu'à ce que la sauce soit chaude. Servir avec les filets de porc.

PAR PORTION	
Calories	411
Protéines	44 g
Matières grasses	9 g
Glucides	34 g
Fibres	4 g
Fer	3 mg
Calcium	58 mg
Sodium	535 mg

Idée pour accompagner

Papillote de haricots aux grains de fenouil

Mélanger 30 ml (2 c. à soupe) d'huile d'olive avec 15 ml (1 c. à soupe) de grains de fenouil, 1 citron coupé en quartiers, 1 oignon émincé, 200 g (environ ½ lb) de haricots verts et 200 g (environ ½ lb) de haricots jaunes. Saler et poivrer. Déposer la préparation sur une grande feuille de papier d'aluminium et replier le papier de manière à former une papillote hermétique. Cuire sur la grille chaude du barbecue de 12 à 15 minutes à puissance moyenne-élevée, couvercle fermé.

Ail ①
8 gousses entières pelées

Porc ②
1 rôti d'épaule désossé
de 2 kg (environ 4 ½ lb)

Vin de muscat ③
ou Pineau des
Charentes
250 ml (1 tasse)

Cassonade ④
60 ml (¼ de tasse)

Thym ⑤
1 tige

Braisé de porc au vin de muscat

Préparation : **15 minutes** • Cuisson à faible intensité : **8 heures** • Quantité : **8 portions**

Préparation

Déposer les gousses d'ail dans la mijoteuse.

Saler et poivrer le rôti. Dans une cocotte ou dans une casserole à fond épais, chauffer un peu d'huile de canola à feu moyen. Saisir le rôti de porc de 2 à 3 minutes sur toutes les faces. Déposer le rôti dans la mijoteuse.

Retirer l'excédent de gras de la cocotte, puis y verser le vin de muscat. Porter à ébullition en raclant les parois de la cocotte avec une cuillère en bois afin de détacher les sucs de cuisson. Retirer du feu et incorporer la cassonade.

Ajouter la préparation au vin de muscat et la tige de thym dans la mijoteuse. Retourner le rôti quelques fois pour bien l'enrober de sauce.

Couvrir et cuire de 8 à 10 heures à faible intensité, jusqu'à ce que la viande s'effiloche facilement.

PAR PORTION	
Calories	433
Protéines	49 g
Matières grasses	20 g
Glucides	6 g
Fibres	0 g
Fer	3 mg
Calcium	48 mg
Sodium	193 mg

Idée pour accompagner

Légumes racines

Profitez de la cuisson de ce braisé pour préparer un accompagnement santé à la mijoteuse ! Il vous suffit d'ajouter 5 carottes et 5 panais pelés et tranchés sur la longueur, 12 pommes de terre grelots blanches coupées en deux et 8 oignons perlés dans la mijoteuse au moment de la cuisson.

Sauce tikka masala
500 ml (2 tasses) ①

Tomates en dés ②
1 boîte de 540 ml

Coriandre ③
hachée
60 ml (¼ de tasse)

1 oignon ④
haché

**16 boulettes
de viande** ⑤
du commerce
surgelées, décongelées

Boulettes de viande à l'indienne

Préparation : **15 minutes** • Cuisson à faible intensité : **5 heures** • Quantité : **4 portions**

Préparation

Dans la mijoteuse, verser la sauce tikka masala. Incorporer les tomates, la coriandre et l'oignon.

Ajouter les boulettes et remuer. Couvrir et cuire de 5 à 6 heures à faible intensité.

PAR PORTION	
Calories	310
Protéines	15 g
Matières grasses	18 g
Glucides	21 g
Fibres	4 g
Fer	2 mg
Calcium	58 mg
Sodium	1 156 mg

Version maison

Boulettes de porc à l'indienne

Mélanger 450 g (1 lb) de porc haché avec 60 ml (¼ de tasse) de chapelure nature, 60 ml (¼ de tasse) d'échalotes sèches (françaises) hachées, 45 ml (3 c. à soupe) de coriandre hachée, 15 ml (1 c. à soupe) de garam masala et 5 ml (1 c. à thé) de curcuma. Saler et poivrer. Façonner 16 boulettes avec la préparation. Dans une poêle, chauffer 30 ml (2 c. à soupe) d'huile de canola à feu moyen. Saisir les boulettes de 1 à 2 minutes. Suivre les indications de la recette ci-dessus, en prenant soin de cuire de 3 à 4 heures à intensité élevée.

Porc ❶
1,5 kg (3 ⅓ lb) de côtes
levées de dos

Sauce barbecue pour côtes levées ❷
du commerce
1 pot de 455 ml

Ail ❸
haché
30 ml (2 c. à soupe)

Gingembre ❹
haché
15 ml (1 c. à soupe)

1 oignon vert ❺
émincé

Spare ribs, sauce barbecue et gingembre

Préparation : **15 minutes** • Cuisson à faible intensité : **7 heures** • Quantité : **de 4 à 6 portions**

Préparation

Couper les côtes levées entre chaque os.

Déposer la sauce barbecue, l'ail et le gingembre dans la mijoteuse. Ajouter les côtes levées et remuer. Saler et poivrer.

Couvrir et cuire de 7 à 8 heures à faible intensité.

Au moment de servir, garnir d'oignon vert.

PAR PORTION	
Calories	781
Protéines	49 g
Matières grasses	44 g
Glucides	47 g
Fibres	5 g
Fer	3 mg
Calcium	107 mg
Sodium	826 mg

Version maison

Sauce barbecue

Mélanger 250 ml (1 tasse) de sauce chili avec 30 ml (2 c. à soupe) de sauce Worcestershire, 30 ml (2 c. à soupe) de miel, 30 ml (2 c. à soupe) d'huile d'olive, 30 ml (2 c. à soupe) de vinaigre de cidre, 30 ml (2 c. à soupe) de moutarde de Dijon, 30 ml (2 c. à soupe) de persil haché et 1 oignon émincé. Saler et poivrer.

Porc ❶
1 rôti d'épaule picnic avec os de 1,5 kg (3 ⅓ lb)

Orange ❷
250 ml (1 tasse) de jus

Vin blanc ❸
60 ml (¼ de tasse)

Bouillon de poulet ❹
125 ml (½ tasse)

Pâte de tomates ❺
30 ml (2 c. à soupe)

PRÉVOIR AUSSI :
➤ **Farine**
45 ml (3 c. à soupe)
➤ **Moutarde de Dijon**
30 ml (2 c. à soupe)

FACULTATIF :
➤ **Orange**
30 ml (2 c. à soupe) de zestes
➤ **1 oignon**
haché

Braisé de porc à l'orange

Préparation : **15 minutes** • Cuisson à faible intensité : **8 heures** • Quantité : **de 4 à 6 portions**

Préparation

Dans une poêle, chauffer un peu d'huile d'olive à feu moyen. Faire dorer le rôti de porc de 2 à 3 minutes sur toutes les faces. Déposer dans la mijoteuse.

Dans un bol, fouetter le jus d'orange avec le vin blanc, le bouillon de poulet, la pâte de tomates, la farine, la moutarde de Dijon et, si désiré, les zestes d'orange. Verser dans la mijoteuse.

Si désiré, ajouter l'oignon dans la mijoteuse. Retourner le rôti d'épaule quelques fois pour l'enrober de sauce.

Couvrir et cuire de 8 à 10 heures à faible intensité, jusqu'à ce que la viande se défasse à la fourchette.

PAR PORTION	
Calories	540
Protéines	32 g
Matières grasses	40 g
Glucides	9 g
Fibres	1 g
Fer	2 mg
Calcium	19 mg
Sodium	294 mg

Idée pour accompagner

Carottes glacées au thym

Dans une casserole d'eau bouillante salée, déposer 12 carottes avec la tige. Cuire 10 minutes. Égoutter. Dans une poêle, chauffer 60 ml (¼ de tasse) de sirop d'érable à feu moyen jusqu'aux premiers frémissements. Ajouter 5 ml (1 c. à thé) d'ail haché et les carottes. Cuire 3 minutes à feu moyen en remuant. Saler, poivrer et garnir de 45 ml (3 c. à soupe) de thym haché.

Porc
6 jarrets d'environ
4 cm (1 ½ po) d'épaisseur
sans la couenne

1

Vin blanc
125 ml (½ tasse)

2

Bouillon de poulet
250 ml (1 tasse)

3

2 tomates italiennes
coupées en dés

4

2 carottes
pelées et tranchées

5

PRÉVOIR AUSSI :
➤ **Farine**
45 ml (3 c. à soupe)

➤ 1 **oignon**
haché

➤ **Ail**
2 gousses entières
pelées

FACULTATIF :
➤ **Fenouil**
1 bulbe coupé
en gros cubes

Osso buco de porc

Préparation : **15 minutes** • Cuisson à faible intensité : **6 heures** • Quantité : **de 4 à 6 portions**

Préparation

Fariner les jarrets de porc.

Dans une grande poêle, chauffer un peu d'huile d'olive à feu moyen-élevé. Saisir la moitié des jarrets de chaque côté. Répéter avec le reste des jarrets. Déposer dans la mijoteuse.

Verser le vin blanc et le bouillon de poulet dans la mijoteuse. Ajouter les tomates, les carottes, l'oignon, l'ail et, si désiré, le fenouil.

Couvrir et cuire de 6 à 8 heures à faible intensité, jusqu'à ce que la viande se défasse de l'os.

PAR PORTION	
Calories	564
Protéines	33 g
Matières grasses	41 g
Glucides	9 g
Fibres	2 g
Fer	2 mg
Calcium	33 mg
Sodium	186 mg

Idée pour accompagner

Pappardelles au parmesan

Dans une casserole d'eau bouillante salée, cuire 250 g (environ ½ lb) de pappardelles *al dente*. Égoutter. Dans la même casserole, chauffer 45 ml (3 c. à soupe) d'huile d'olive à feu moyen. Ajouter les pâtes avec 45 ml (3 c. à soupe) de parmesan râpé et 30 ml (2 c. à soupe) de persil haché. Saler, poivrer et remuer.

Porc ❶
750 g (environ 1 ⅔ lb)
de cubes à ragoût

**Sauce aux canneberges
en gelée** ❷
1 boîte de 348 ml

Bouillon de poulet ❸
125 ml (½ tasse)

Sauce demi-glace ❹
en poudre
1 sachet de 34 g

Haricots verts et jaunes ❺
coupés en morceaux
350 g (environ ¾ de lb)

PRÉVOIR AUSSI :
➤ 1 **oignon**
coupé en dés
➤ 1 **carotte**
coupée en dés

FACULTATIF :
➤ **Canneberges
séchées**
125 ml (½ tasse)

Porc aux canneberges

Préparation : **15 minutes** • Cuisson à faible intensité : **6 heures** • Quantité : **de 4 à 6 portions**

Préparation

Dans une grande poêle, chauffer un peu d'huile d'olive à feu moyen. Saisir quelques cubes de porc à la fois de 1 à 2 minutes de chaque côté. Déposer dans la mijoteuse.

Dans un bol, mélanger la sauce aux canneberges avec le bouillon de poulet et le contenu du sachet de sauce demi-glace. Verser dans la mijoteuse.

Ajouter les haricots, l'oignon et la carotte dans la mijoteuse. Couvrir et cuire de 5 heures 30 minutes à 6 heures 30 minutes à faible intensité.

Si désiré, ajouter les canneberges séchées dans la mijoteuse. Poursuivre la cuisson 30 minutes.

PAR PORTION	
Calories	555
Protéines	40 g
Matières grasses	12 g
Glucides	72 g
Fibres	16 g
Fer	4 mg
Calcium	135 mg
Sodium	494 mg

Idée pour accompagner

Couscous aux noisettes

Dans un bol, mélanger 250 ml (1 tasse) de couscous avec 15 ml (1 c. à soupe) d'huile d'olive. Saler et poivrer. Verser 250 ml (1 tasse) de bouillon de légumes bouillant sur le couscous. Remuer et couvrir. Laisser gonfler 5 minutes, puis égrainer le couscous à l'aide d'une fourchette. Ajouter 30 ml (2 c. à soupe) de noisettes hachées, 15 ml (1 c. à soupe) de persil haché et 15 ml (1 c. à soupe) d'aneth haché. Remuer.

Sauce barbecue à l'érable ①
375 ml (1 ½ tasse)

Paprika fumé ②
15 ml (1 c. à soupe)

Mélasse ③
15 ml (1 c. à soupe)

Poudre d'oignons ④
15 ml (1 c. à soupe)

Porc ⑤
2,2 kg (4 ¾ lb) de côtes
levées de dos

Côtes levées à l'érable

Préparation : **15 minutes** • Cuisson à faible intensité : **7 heures** • Quantité : **de 4 à 6 portions**

Préparation

Dans la mijoteuse, mélanger la sauce barbecue avec le paprika fumé, la mélasse et la poudre d'oignons. Saler et poivrer.

Couper les côtes levées en deux, puis les déposer dans la mijoteuse. Remuer afin de bien enrober les côtes levées de marinade.

Couvrir et cuire de 7 à 8 heures à faible intensité.

Retirer les côtes levées de la mijoteuse et les transférer sur une plaque de cuisson tapissée de papier d'aluminium.

Badigeonner les côtes levées de sauce de cuisson. Faire griller au four à la position « gril » (*broil*) de 5 à 6 minutes.

PAR PORTION	
Calories	851
Protéines	50 g
Matières grasses	54 g
Glucides	4 g
Fibres	1 g
Fer	3 mg
Calcium	53 mg
Sodium	786 mg

Idée pour accompagner

Quartiers de pommes de terre au four

Couper de 4 à 5 grosses pommes de terre à chair jaune en quartiers. Déposer dans un bol avec 45 ml (3 c. à soupe) d'huile d'olive, 4 gousses d'ail émincées et 5 ml (1 c. à thé) d'assaisonnements italiens. Saler, poivrer et remuer. Déposer les pommes de terre sur une plaque de cuisson tapissée de papier parchemin. Cuire au four de 25 à 30 minutes à 205 °C (400 °F).

Photo côtes levées : Shutterstock.

Porc ❶
1,5 kg (3 ⅓ lb) de rôti
d'épaule avec os

Ananas ❷
en dés avec le jus
1 boîte de 398 ml

Vinaigre de cidre ❸
45 ml (3 c. à soupe)

Pâte de tomates ❹
1 boîte de 156 ml

Cassonade ❺
45 ml (3 c. à soupe)

Porc effiloché à l'ananas

Préparation : **15 minutes** • Cuisson à faible intensité : **8 heures** • Quantité : **4 portions**

Préparation

Dans une poêle, chauffer un peu d'huile d'olive à feu moyen. Saisir le rôti de porc 1 minute sur toutes les faces.

Déposer les ananas en dés avec leur jus, le vinaigre de cidre, la pâte de tomates, la cassonade, l'oignon et, si désiré, les assaisonnements pour steak dans la mijoteuse. Saler, poivrer et mélanger.

Déposer le rôti d'épaule dans la mijoteuse et le retourner plusieurs fois afin de l'enrober de sauce. Couvrir et cuire 8 heures à faible intensité.

Retirer le rôti de la mijoteuse et laisser tiédir dans une assiette.

Verser la sauce de la mijoteuse dans une casserole. Porter à ébullition, puis laisser mijoter à feu doux-moyen jusqu'à ce que la sauce ait réduit de moitié.

Effilocher le rôti à l'aide de deux fourchettes. Ajouter la viande dans la casserole et remuer.

PAR PORTION	
Calories	657
Protéines	52 g
Matières grasses	36 g
Glucides	31 g
Fibres	3 g
Fer	5 mg
Calcium	90 mg
Sodium	221 mg

Idée pour accompagner

Salade de chou rouge aux noix

Dans un saladier, mélanger 125 ml (½ tasse) de vinaigrette aux tomates séchées avec 80 ml (⅓ de tasse) de noix de Grenoble en morceaux et 60 ml (¼ de tasse) de persil haché. Saler et poivrer. Ajouter ½ chou rouge émincé finement et remuer.

PRÉVOIR AUSSI :
➤ 1 **oignon**
haché

FACULTATIF :
➤ **Assaisonnements pour steak**
15 ml (1 c. à soupe)

Porc
675 g (environ 1 ½ lb)
de cubes à ragoût **①**

Bouillon de bœuf **②**
375 ml (1 ½ tasse)

Sauce aux huîtres **③**
250 ml (1 tasse)

Sauce soya **④**
réduite en sodium
60 ml (¼ de tasse)

Noix de cajou **⑤**
250 ml (1 tasse)

FACULTATIF :
➤ **Gingembre**
haché
15 ml (1 c. à soupe)

➤ **Citronnelle**
1 tige parée et
coupée en trois
morceaux

PRÉVOIR AUSSI :
➤ **Fécule de maïs**
30 ml (2 c. à soupe)

Mijoté de porc aux noix de cajou

Préparation : **15 minutes** • Cuisson à faible intensité : **6 heures** • Quantité : *de 4 à 6 portions*

Préparation

Dans une poêle, chauffer un peu d'huile de canola à feu moyen. Faire dorer quelques cubes de porc à la fois sur toutes les faces. Poivrer.

Dans un bol, fouetter le bouillon de bœuf avec la sauce aux huîtres, la sauce soya et la fécule de maïs. Si désiré, ajouter le gingembre et la citronnelle. Remuer.

Ajouter les cubes de porc dans la mijoteuse et remuer pour les enrober de sauce. Couvrir et cuire de 6 à 7 heures à faible intensité.

Ajouter les noix de cajou dans la mijoteuse et remuer.

PAR PORTION	
Calories	809
Protéines	61 g
Matières grasses	47 g
Glucides	30 g
Fibres	3 g
Fer	4 mg
Calcium	107 mg
Sodium	911 mg

Idée pour accompagner

Salade de pois sucrés à la chinoise

Retirer le filament de la cosse de 250 g (environ ½ lb) de pois sucrés en tirant de la pointe vers le pédoncule. Dans une casserole d'eau bouillante salée, blanchir les pois sucrés 3 minutes. Égoutter, puis rafraîchir sous l'eau très froide. Égoutter de nouveau. Dans un saladier, verser 125 ml (½ tasse) de vinaigrette au sésame. Ajouter 250 ml (1 tasse) de fèves germées, 1 carotte taillée en julienne, 1 poivron rouge émincé et les pois sucrés. Saler et poivrer. Incorporer 15 ml (1 c. à soupe) de graines de sésame grillées.

Porc

600 g (environ 1 ⅓ lb)
de longe
①

Vin blanc ②

125 ml (½ tasse)

Bouillon de légumes ③

250 ml (1 tasse)

Citron ④

30 ml (2 c. à soupe)
de jus + 15 ml (1 c. à
soupe) de zestes

Crème à cuisson 15 % ⑤

125 ml (½ tasse)

PRÉVOIR AUSSI :

➤ **1 oignon**
haché

➤ **Miel**
15 ml (1 c. à soupe)

Rôti de longe de porc au citron

Préparation : **15 minutes** • Cuisson à faible intensité : **5 heures** • Quantité : **4 portions**

Préparation

Dans une grande poêle, chauffer un peu d'huile d'olive
à feu moyen. Faire dorer la longe de porc 2 minutes
de chaque côté. Déposer dans la mijoteuse.

Dans la même poêle, cuire l'oignon et, si désiré,
l'ail de 2 à 3 minutes.

Ajouter le vin blanc dans la poêle
et laisser mijoter 2 minutes. Verser sur la longe de porc.

Ajouter le bouillon de légumes, le jus de citron, les zestes
de citron, le miel et, si désiré, la sauge dans la mijoteuse.
Couvrir et cuire de 5 à 6 heures à faible intensité ou
de 3 à 4 heures à intensité élevée.

Retirer le rôti de porc de la mijoteuse et réserver dans
une assiette. À l'aide d'une passoire fine, filtrer le jus de
cuisson au-dessus d'une casserole. Porter à ébullition.

Ajouter la crème dans la casserole et laisser mijoter
de 5 à 7 minutes en remuant de temps en temps.

Trancher le rôti et servir avec la sauce.

PAR PORTION	
Calories	350
Protéines	35 g
Matières grasses	16 g
Glucides	11 g
Fibres	1 g
Fer	1 mg
Calcium	63 mg
Sodium	279 mg

Idée pour accompagner

Sauté de mini-poivrons

Épépiner et couper de 8 à 10 mini-
poivrons de couleurs variées en morceaux.
Dans une grande poêle, chauffer 15 ml (1 c. à soupe) d'huile
d'olive à feu moyen. Cuire les poivrons de 3 à 4 minutes en
remuant de temps en temps. Ajouter 15 ml (1 c. à soupe) de miel,
5 ml (1 c. à thé) de thym haché et 5 ml (1 c. à thé) d'ail haché. Remuer et poursuivre la cuisson de 1 à 2 minutes. Saler et poivrer.

FACULTATIF :

➤ **Ail**
haché
15 ml (1 c. à soupe)

➤ **Sauge**
hachée
15 ml (1 c. à soupe)

Bœuf et veau

En rôti, hachées ou en cubes ; aux légumes ou à la bière ; à la suédoise ou à l'espagnole : les viandes de bœuf et de veau offrent de nombreuses possibilités ! Voici quelques façons de les apprêter et de les faire mijoter pour en récolter les meilleurs saveurs et parfums.

Ricotta ❶
1 contenant de 475 g

Parmesan ❷
faible en sodium
râpé
250 ml (1 tasse)

Assaisonnements italiens ❸
30 ml (2 c. à soupe)

Sauce à la viande ❹
1 litre (4 tasses)

9 lasagnes ❺

Lasagne à la viande

Préparation : **10 minutes** • Cuisson à faible intensité : **5 heures** • Quantité : **6 portions**

Préparation

Dans un bol, mélanger la ricotta avec le parmesan et les assaisonnements italiens.

Dans la mijoteuse, verser un peu de sauce à la viande. Couvrir de trois lasagnes, puis de la moitié de la sauce à la viande restante. Répéter une fois, puis couvrir des lasagnes restantes. Couvrir du mélange à la ricotta.

Couvrir et cuire de 5 à 6 heures à faible intensité.

PAR PORTION	
Calories	457
Protéines	26 g
Matières grasses	20 g
Glucides	44 g
Fibres	3 g
Fer	4 mg
Calcium	458 mg
Sodium	921 mg

Idée pour accompagner

Salade verte, sauce à la crème sure

Dans un saladier, fouetter 60 ml (¼ de tasse) de crème sure avec 30 ml (2 c. à soupe) de jus de citron. Saler et poivrer. Ajouter 1 laitue romaine déchiquetée, puis remuer afin de bien enrober la laitue du mélange à la crème sure.

Bœuf ❶
800 g (environ 1 ¾ lb)
de cubes à ragoût

**12 à 16 oignons
perlés** ❷
épluchés

Bouillon à fondue ❸
375 ml (1 ½ tasse)

Bacon ❹
8 tranches
coupées en morceaux

16 champignons ❺
coupés en quartiers

PRÉVOIR AUSSI :
➤ **Farine**
45 ml (3 c. à soupe)

Bœuf aux champignons et bacon

Préparation : **15 minutes** • Cuisson à faible intensité : **7 heures** • Cuisson à intensité élevée : **10 minutes**
Quantité : **6 portions**

Préparation

Assécher les cubes de bœuf à l'aide de papier absorbant.

Dans une poêle, chauffer un peu d'huile de canola à feu moyen. Faire dorer quelques cubes de viande à la fois de 2 à 3 minutes. Transférer dans la mijoteuse.

Ajouter les oignons perlés dans la mijoteuse. Saupoudrer de farine et remuer.

Ajouter le bouillon à fondue. Saler, poivrer et remuer.

Couvrir et cuire de 7 à 8 heures à faible intensité.

Environ 10 minutes avant la fin de la cuisson, chauffer une poêle à feu moyen. Cuire le bacon de 2 à 3 minutes.

Dans la poêle, ajouter les champignons et poursuivre la cuisson de 2 à 3 minutes.

Ajouter le bacon et les champignons dans la mijoteuse. Poursuivre la cuisson 10 minutes à intensité élevée.

PAR PORTION	
Calories	471
Protéines	36 g
Matières grasses	29 g
Glucides	14 g
Fibres	1 g
Fer	3 mg
Calcium	15 mg
Sodium	628 mg

Idée pour accompagner

Purée de pommes de terre à l'estragon

Déposer de 4 à 6 pommes de terre pelées et coupées en cubes dans une casserole. Couvrir d'eau froide et saler. Porter à ébullition, puis cuire de 15 à 20 minutes, jusqu'à tendreté. Égoutter et réduire en purée avec 125 ml (½ tasse) de lait chaud, 30 ml (2 c. à soupe) de beurre et 30 ml (2 c. à soupe) d'estragon haché. Saler et poivrer.

1 chou de Savoie ①
émincé

Lard salé ②
250 g (environ ½ lb)

Bœuf ③
1,5 kg (3 ⅓ lb) de rôti
de palette

6 tomates ④
coupées en dés

Bouillon de bœuf ⑤
250 ml (1 tasse)

FACULTATIF :
➤ **Thym**
1 tige

Bœuf à la paysanne

Préparation : **15 minutes** • Cuisson à faible intensité : **8 heures** • Quantité : *de 6 à 8 portions*

Préparation

Déposer le chou dans une casserole. Couvrir d'eau et saler. Porter à ébullition. Aux premiers bouillons, retirer le chou de la casserole. Refroidir sous l'eau très froide et égoutter.

Déposer le lard salé dans une autre casserole. Couvrir d'eau froide. Porter à ébullition. Retirer le lard de la casserole. Rincer abondamment sous l'eau froide. Égoutter.

Dans une poêle, chauffer un peu d'huile de canola à feu moyen. Saisir le rôti de 1 à 2 minutes de chaque côté.

Déposer le chou dans la mijoteuse. Déposer le rôti et le lard salé sur le chou. Ajouter les tomates et le bouillon.

Couvrir et cuire de 8 à 10 heures à faible intensité ou de 4 à 6 heures à intensité élevée.

Si désiré, ajouter la tige de thym 1 heure avant la fin de la cuisson.

PAR PORTION	
Calories	571
Protéines	45 g
Matières grasses	38 g
Glucides	13 g
Fibres	7 g
Fer	5 mg
Calcium	97 mg
Sodium	740 mg

Option santé

Le chou de Savoie

En salade, en choucroute, en cigares à la viande ou en soupe, le chou de Savoie est toujours un choix santé! Légume des plus classiques, il s'avère une bonne source de calcium, mais surtout de vitamine C. Certaines études démontreraient même que le chou aurait des propriétés anticancer!

Bœuf haché maigre ①
675 g (environ 1 ½ lb)

Mélange de légumes surgelés pour chili ②
décongelés et égouttés
1 sac de 600 g

Sauce marinara ③
250 ml (1 tasse)

Bouillon de bœuf ④
250 ml (1 tasse)

Haricots rouges ⑤
rincés et égouttés
1 boîte de 540 ml

PRÉVOIR AUSSI :
➤ **Ail**
haché
15 ml (1 c. à soupe)

➤ **Assaisonnements pour chili**
1 sachet de 39 g

FACULTATIF :
➤ **½ jalapeño**
haché finement

Chili texan au bœuf

Préparation : **15 minutes** • Cuisson à faible intensité : **6 heures** • Quantité : **de 6 à 8 portions**

Préparation

Dans une grande casserole, chauffer un peu d'huile d'olive à feu moyen. Cuire le bœuf haché avec l'ail de 3 à 5 minutes en égrainant la viande avec une cuillère en bois.

Transférer la viande dans la mijoteuse.

Ajouter le reste des ingrédients dans la mijoteuse et remuer.

Couvrir et cuire de 6 à 8 heures à faible intensité ou de 3 à 4 heures à intensité élevée.

PAR PORTION	
Calories	313
Protéines	23 g
Matières grasses	13 g
Glucides	25 g
Fibres	6 g
Fer	3 mg
Calcium	36 mg
Sodium	687 mg

Idée pour accompagner

Garniture à la crème sure

Mélanger 125 ml (½ tasse) de crème sure avec 30 ml (2 c. à soupe) de coriandre hachée et 125 ml (½ tasse) de cheddar râpé. Garnir chaque portion de chili de la préparation à la crème sure.

Boulettes de viande à la suédoise ①
du commerce
surgelées, décongelées
1 paquet de 680 g

Bouillon de bœuf ②
réduit en sodium
375 ml (1 ½ tasse)

1 oignon ③
haché

Poivre de la Jamaïque (quatre-épices) ④
moulu
2,5 ml (½ c. à thé)

Crème à cuisson 15 % ⑤
60 ml (¼ de tasse)

PRÉVOIR AUSSI :
➤ **Farine**
30 ml (2 c. à soupe)

Boulettes de viande à la suédoise

Préparation : **15 minutes** • Cuisson à faible intensité : **4 heures** • Quantité : **4 portions**

Préparation

Dans une poêle, chauffer un peu d'huile d'olive à feu moyen. Faire dorer les boulettes de 2 à 3 minutes.

Déposer la farine dans un bol. Fariner les boulettes.

Dans la mijoteuse, verser le bouillon de bœuf. Ajouter l'oignon et le poivre de la Jamaïque. Poivrer et remuer.

Ajouter les boulettes dans la mijoteuse et remuer.

Couvrir et cuire 3 heures 50 minutes à faible intensité.

Incorporer la crème et poursuivre la cuisson 10 minutes.

PAR PORTION	
Calories	539
Protéines	25 g
Matières grasses	42 g
Glucides	13 g
Fibres	1 g
Fer	4 mg
Calcium	22 mg
Sodium	922 mg

Idée pour accompagner

Purée de pommes de terre aux échalotes et bacon

Déposer de 4 à 5 pommes de terre pelées et coupées en cubes dans une casserole. Couvrir d'eau froide et saler. Porter à ébullition, puis cuire 20 minutes, jusqu'à tendreté. Égoutter. Réduire en purée avec 125 ml (½ tasse) de lait chaud et 30 ml (2 c. à soupe) de beurre. Ajouter 60 ml (¼ de tasse) d'échalotes sèches (françaises) hachées, 60 ml (¼ de tasse) de bacon cuit et coupé en dés, 30 ml (2 c. à soupe) de persil haché et 15 ml (1 c. à soupe) d'origan haché. Saler, poivrer et remuer.

Bœuf braisé à l'espagnole

Préparation : **15 minutes** • Cuisson à faible intensité : **8 heures** • Quantité : **de 4 à 6 portions**

Préparation

Dans la mijoteuse, répartir le chorizo, les poivrons, l'oignon, l'ail et, si désiré, les tomates.

Parer le rôti de palette en retirant l'excédent de gras.

Dans une casserole, chauffer un peu d'huile d'olive à feu moyen. Saisir le rôti 2 minutes de chaque côté.

Déposer le rôti dans la mijoteuse. Saler et poivrer.

Verser le coulis de tomates sur le rôti. Ajouter les olives et, si désiré, le cumin. Remuer.

Couvrir et cuire 8 heures à faible intensité, jusqu'à ce que la viande se défasse à la fourchette.

PAR PORTION	
Calories	388
Protéines	40 g
Matières grasses	20 g
Glucides	11 g
Fibres	3 g
Fer	5 mg
Calcium	59 mg
Sodium	638 mg

Idée pour accompagner

Pennes au beurre et à l'ail

Dans une casserole d'eau bouillante salée, cuire 375 ml (1 ½ tasse) de pennes *al dente*. Égoutter. Dans la même casserole, faire fondre 30 ml (2 c. à soupe) de beurre à feu moyen. Cuire ½ oignon haché et 2 gousses d'ail hachées de 2 à 3 minutes. Ajouter les pennes et remuer. Saler et poivrer.

① Chorizo
coupé en dés
100 g (3 ½ oz)

② Poivrons
coupés en cubes
1 rouge et 1 orange

③ Bœuf
1 kg (environ 2 ¼ lb) de
rôti de palette sans os

④ Coulis de tomates
500 ml (2 tasses)

⑤ 16 olives vertes
dénoyautées

PRÉVOIR AUSSI :
➤ **Oignon**
haché
180 ml (¾ de tasse)

➤ **Ail**
haché
15 ml (1 c. à soupe)

FACULTATIF :
➤ **3 tomates**
coupées en dés

➤ **Cumin**
5 ml (1 c. à thé)

Pâté chinois revisité

Préparation : **15 minutes** • Cuisson à faible intensité : **5 heures** • Quantité : **de 6 à 8 portions**

Préparation

Dans la mijoteuse, mélanger le bœuf haché avec la pâte de tomates, le vin, l'oignon, l'ail et, si désiré, le poivron. Saler et poivrer.

Couvrir de maïs, puis de purée de pommes de terre.

Couvrir et cuire de 5 à 6 heures à faible intensité.

PAR PORTION	
Calories	401
Protéines	20 g
Matières grasses	13 g
Glucides	51 g
Fibres	5 g
Fer	3 mg
Calcium	60 mg
Sodium	675 mg

Bœuf haché mi-maigre ①
450 g (1 lb)

Pâte de tomates ②
60 ml (¼ de tasse)

Vin blanc ③
80 ml (⅓ de tasse)

Maïs ④
2 boîtes de grains
de 284 ml chacune

Pommes de terre ⑤
1 kg (environ 2 ¼ lb)
de purée

Idée pour accompagner

Salade de roquette aux tomates séchées et parmesan

Dans un saladier, mélanger 80 ml (⅓ de tasse) de tomates séchées émincées avec 60 ml (¼ de tasse) de vinaigrette italienne, 45 ml (3 c. à soupe) de parmesan râpé et 30 ml (2 c. à soupe) de noix de pin grillées. Ajouter 750 ml (3 tasses) de roquette et remuer.

PRÉVOIR AUSSI :
➤ 1 **oignon**
haché

➤ **Ail**
haché
15 ml (1 c. à soupe)

FACULTATIF :
➤ ½ **poivron vert**
coupé en dés

Mélange de légumes surgelés de style italien
décongelés et égouttés
1 paquet de 750 g

1

2 oignons
émincés

2

Bœuf
1 kg (environ 2 ¼ lb)
de bifteck de surlonge
coupé en lanières

3

Vin blanc sec
ou bouillon de légumes
125 ml (½ tasse)

4

Jus de tomate
375 ml (1 ½ tasse)

5

PRÉVOIR AUSSI :
➤ **Farine**
60 ml (¼ de tasse)

Bœuf aux légumes, sauce tomate

Préparation : **15 minutes** • Cuisson à faible intensité : **5 heures** • Quantité : **6 portions**

Préparation

Dans la mijoteuse, déposer le mélange de légumes et les oignons.

Assécher la viande à l'aide de papier absorbant.

Dans une poêle, chauffer un peu d'huile de canola à feu moyen-élevé. Faire dorer quelques lanières de bœuf à la fois de 2 à 3 minutes. Déposer la viande dans la mijoteuse.

Saupoudrer de farine et remuer.

Ajouter le vin blanc et le jus de tomate dans la mijoteuse. Saler, poivrer et remuer.

Couvrir et cuire de 5 à 6 heures à faible intensité.

PAR PORTION	
Calories	326
Protéines	41 g
Matières grasses	7 g
Glucides	19 g
Fibres	4 g
Fer	5 mg
Calcium	60 mg
Sodium	303 mg

Idée pour accompagner

Riz basmati au persil

Rincer 250 ml (1 tasse) de riz basmati sous l'eau froide. Égoutter. Dans une casserole, déposer le riz et verser 500 ml (2 tasses) d'eau froide. Saler. Porter à ébullition. Couvrir et cuire à feu doux de 18 à 20 minutes. Retirer du feu et incorporer 30 ml (2 c. à soupe) de persil haché.

Veau
600 g (environ 1 ⅓ lb)
de cubes à ragoût ①

½ courge Butternut ②
coupée en cubes

Bouillon de légumes ③
375 ml (1 ½ tasse)

Sauce à l'orange ④
et gingembre
du commerce
125 ml (½ tasse)

2 pommes Gala ⑤
pelées et coupées
en quartiers

PRÉVOIR AUSSI :
➤ **Farine**
45 ml (3 c. à soupe)

➤ **1 oignon**
haché

FACULTATIF :
➤ 2 **carottes**
coupées
en rondelles

➤ **Orange**
30 ml (2 c. à soupe)
de zestes

Mijoté de veau aux pommes et à la courge d'automne

Préparation : **15 minutes** • Cuisson à faible intensité : **7 heures** • Quantité : **4 portions**

Préparation

Assécher la viande à l'aide de papier absorbant.

Dans une poêle, chauffer un peu d'huile d'olive à feu moyen-élevé. Faire dorer les cubes de viande quelques minutes.

Saupoudrer de farine. Saler, poivrer et remuer. Transférer la viande dans la mijoteuse.

Ajouter la courge Butternut, le bouillon de légumes, la sauce à l'orange, l'oignon et, si désiré, les carottes et les zestes dans la mijoteuse et remuer.

Couvrir et cuire de 6 à 7 heures à faible intensité.

Ajouter les pommes dans la mijoteuse et remuer. Couvrir et prolonger la cuisson de 1 heure.

PAR PORTION	
Calories	296
Protéines	35 g
Matières grasses	5 g
Glucides	29 g
Fibres	5 g
Fer	3 mg
Calcium	102 mg
Sodium	422 mg

Version maison

Sauce à l'orange et gingembre

Dans une casserole, porter à ébullition à feu moyen 80 ml (⅓ de tasse) de jus d'orange avec 15 ml (1 c. à soupe) de miel, 15 ml (1 c. à soupe) de gingembre haché, 10 ml (2 c. à thé) de jus de citron et 5 ml (1 c. à thé) de sauce soya. Délayer 5 ml (1 c. à thé) de fécule de maïs dans un peu d'eau froide et incorporer à la sauce bouillante. Laisser mijoter à feu doux de 1 à 2 minutes jusqu'à épaississement. Saler et poivrer.

Bœuf ①
2 kg (environ 4 ½ lb) de rôti de palette avec os

3 oignons ②
coupés en rondelles épaisses

Bouillon de bœuf ③
125 ml (½ tasse)

Sirop d'érable ④
125 ml (½ tasse)

Moutarde de Dijon ⑤
30 ml (2 c. à soupe)

FACULTATIF :
➤ **Thym**
haché
10 ml (2 c. à thé)

➤ **Romarin**
haché
5 ml (1 c. à thé)

Rôti de palette moutarde et érable

Préparation : **15 minutes** • Cuisson à faible intensité : **8 heures** • Quantité : **de 6 à 8 portions**

Préparation

Parer le rôti en retirant l'excédent de gras.

Dans une casserole à fond épais ou dans une cocotte, chauffer un peu d'huile d'olive à feu moyen. Saisir le rôti 2 minutes de chaque côté.

Déposer le rôti dans la mijoteuse. Saler et poivrer.

Répartir les rondelles d'oignons sur le rôti.

Dans un bol, mélanger le bouillon avec le sirop d'érable, la moutarde et, si désiré, les fines herbes. Verser sur le rôti.

Couvrir et cuire de 8 à 10 heures à faible intensité, jusqu'à ce que la viande se défasse facilement à la fourchette.

PAR PORTION	
Calories	445
Protéines	52 g
Matières grasses	17 g
Glucides	18 g
Fibres	1 g
Fer	6 mg
Calcium	66 mg
Sodium	286 mg

Idée pour accompagner

Pommes de terre farcies gratinées

Déposer de 6 à 8 pommes de terre avec la peau dans une casserole. Couvrir d'eau froide et saler. Porter à ébullition, puis cuire de 18 à 20 minutes, jusqu'à tendreté. Couper le tiers supérieur des pommes de terre et les évider en prenant soin de ne pas percer la pelure. Dans un bol, mélanger la chair avec 8 tranches de bacon cuites hachées, 3 oignons verts hachés et 60 ml (¼ de tasse) de crème sure. Saler et poivrer. Garnir les pommes de terre évidées avec la préparation. Parsemer de 125 ml (½ tasse) de cheddar râpé. Déposer les pommes de terre sur une plaque de cuisson. Faire gratiner au four de 15 à 20 minutes à 205 °C (400 °F).

Bœuf ①
720 g (environ 1 ½ lb)
de cubes à ragoût

Sauce tandoori ②
200 ml (¾ de tasse +
4 c. à thé)

Fond de veau ③
80 ml (⅓ de tasse)

Pois chiches ④
rincés et égouttés
1 boîte de 540 ml

Yogourt nature 0 % ⑤
125 ml (½ tasse)

Bœuf tandoori

Préparation : **15 minutes** • Cuisson à faible intensité : **7 heures** • Quantité : **4 portions**

Préparation

Assécher les cubes de viande à l'aide de papier absorbant.

Dans une poêle, chauffer un peu d'huile de canola à feu moyen-élevé. Saisir quelques cubes de bœuf à la fois de 2 à 3 minutes. Saler et poivrer.

Déposer les cubes de bœuf dans la mijoteuse.

Ajouter la sauce tandoori, le fond de veau et les pois chiches dans la mijoteuse. Remuer.

Couvrir et cuire de 7 à 8 heures à faible intensité.

Au moment de servir, incorporer le yogourt.

Si désiré, garnir chaque portion d'oignons verts.

PAR PORTION	
Calories	522
Protéines	51 g
Matières grasses	20 g
Glucides	31 g
Fibres	5 g
Fer	6 mg
Calcium	126 mg
Sodium	314 mg

Idée pour accompagner

Pois mange-tout

Dans une casserole d'eau bouillante salée, blanchir 300 g (⅔ de lb) de pois mange-tout de 3 à 4 minutes. Égoutter. Dans la même casserole, chauffer 15 ml (1 c. à soupe) d'huile d'olive à feu moyen. Cuire ½ oignon coupé en dés de 2 à 3 minutes. Ajouter les pois mange-tout et 30 ml (2 c. à soupe) de vinaigrette aux oignons doux. Remuer et poursuivre la cuisson de 1 à 2 minutes. Saler et poivrer.

FACULTATIF :
➤ **Oignons verts**
émincés
60 ml (¼ de tasse)

146

Bœuf ①
450 g (1 lb)
de cubes à ragoût

Mélange de légumes surgelés pour mijoteuse ②
décongelés et égouttés
1 sac de 750 g

Marjolaine séchée ③
3,75 ml (¾ de c. à thé)

Bouillon de bœuf ④
250 ml (1 tasse)

Pâte de tomates ⑤
30 ml (2 c. à soupe)

PRÉVOIR AUSSI :
➤ **3 oignons**
émincées
➤ **Farine**
60 ml (¼ de tasse)

Ragoût de bœuf irlandais

Préparation : **10 minutes** • Cuisson à faible intensité : **6 heures** • Quantité : **4 portions**

Préparation

Assécher les cubes de bœuf à l'aide de papier absorbant.

Dans une poêle, chauffer un peu d'huile de canola à feu moyen. Faire dorer quelques cubes de bœuf à la fois de 2 à 3 minutes. Transférer dans la mijoteuse.

Ajouter le mélange de légumes, la marjolaine et les oignons dans la mijoteuse. Saupoudrer de farine et remuer.

Ajouter le bouillon de bœuf et la pâte de tomates. Saler, poivrer et remuer.

Couvrir et cuire de 6 à 8 heures à faible intensité.

PAR PORTION	
Calories	314
Protéines	29 g
Matières grasses	9 g
Glucides	28 g
Fibres	5 g
Fer	4 mg
Calcium	72 mg
Sodium	376 mg

Idée pour accompagner

Salade de concombre et fenouil

Dans un saladier, mélanger 45 ml (3 c. à soupe) d'huile d'olive avec 15 ml (1 c. à soupe) de jus de citron. Saler et poivrer. Ajouter 375 ml (1 ½ tasse) de bébés épinards, ½ concombre anglais émincé, ½ bulbe de fenouil émincé et ½ oignon rouge émincé. Remuer.

Bœuf haché maigre ①
450 g (1 lb)

Chapelure nature ②
60 ml (¼ de tasse)

Parmesan
réduit en sodium
râpé ③
60 ml (¼ de tasse)

**Sauce tomate aux
fines herbes** ④
500 ml (2 tasses)

Spaghettis ⑤
350 g (environ ¾ de lb)

PRÉVOIR AUSSI :
➤ **Ail**
haché
10 ml (2 c. à thé)

➤ ½ **oignon**
haché

Spaghetti aux boulettes de bœuf

Préparation : **15 minutes** • Cuisson au four : **12 minutes** • Cuisson à intensité élevée : **4 heures**
Cuisson des pâtes : **10 minutes** • Quantité : **4 portions**

Préparation

Préchauffer le four à 205 °C (400 °F).

Dans un grand bol, mélanger le bœuf haché avec
la chapelure, le parmesan, l'ail et l'oignon. Poivrer.

Façonner 16 boulettes en utilisant environ 30 ml
(2 c. à soupe) de préparation pour chacune d'elles.

Déposer les boulettes sur une plaque de cuisson tapissée
de papier parchemin. Cuire au four de 12 à 15 minutes.

Déposer les boulettes dans la mijoteuse. Ajouter
la sauce tomate et remuer.

Couvrir et cuire 4 heures à intensité élevée.

Au moment de servir, cuire les spaghettis *al dente*
dans une casserole d'eau bouillante salée. Servir
avec les boulettes et la sauce.

PAR PORTION	
Calories	654
Protéines	39 g
Matières grasses	19 g
Glucides	80 g
Fibres	5 g
Fer	5 mg
Calcium	153 mg
Sodium	810 mg

Idée pour accompagner

Croûtons au basilic

Couper 4 tranches de pain au fromage sur
la diagonale. Faire dorer au four à la position « gril » (*broil*) de 2 à 3 minutes. Dans un bol,
mélanger 60 ml (¼ de tasse) de beurre fondu avec 30 ml
(2 c. à soupe) de basilic haché. Badigeonner les pains de
beurre parfumé à la sortie du four.

Bouillon de bœuf ❶
250 ml (1 tasse)

Mélasse ❷
30 ml (2 c. à soupe)

Bière brune ❸
250 ml (1 tasse)

Pâte de tomates ❹
15 ml (1 c. à soupe)

Bœuf ❺
900 g (environ 2 lb) de
rôti de côtes croisées

PRÉVOIR AUSSI :
➤ **Moutarde de Dijon**
15 ml (1 c. à soupe)

➤ **Ail**
haché
15 ml (1 c. à soupe)

FACULTATIF :
➤ **Thym**
haché
5 ml (1 c. à thé)

➤ **Laurier**
1 feuille

Rôti de bœuf à la bière

Préparation : **15 minutes** • Cuisson à faible intensité : **8 heures** • Quantité : **4 portions**

Préparation

Dans un bol, fouetter le bouillon de bœuf avec la
mélasse, la bière, la pâte de tomates et la moutarde.

Déposer le rôti dans la mijoteuse. Verser la préparation
à la bière sur la viande.

Ajouter l'ail et, si désiré, le thym et la feuille de laurier.

Couvrir et cuire de 8 à 10 heures à faible intensité.

PAR PORTION	
Calories	364
Protéines	47 g
Matières grasses	11 g
Glucides	12 g
Fibres	0 g
Fer	5 mg
Calcium	51 mg
Sodium	406 mg

Idée pour accompagner

Carottes et oignons perlés

Envie de faire d'une pierre deux coups en
préparant un accompagnement de légumes
pour ce rôti de bœuf à la bière ? Il suffit de déposer 3 carottes coupées en morceaux et 20 oignons perlés
épluchés dans la mijoteuse avant d'y déposer le rôti.

Bœuf ①
1,5 kg (3 ⅓ lb) de cubes à ragoût

Pâte de tomates ②
60 ml (¼ de tasse)

Mélange de légumes surgelés pour sauce à spaghetti ③
décongelés et égouttés
750 ml (3 tasses)

Purée de patates douces ④
ou de pommes de terre du commerce
1 contenant de 680 g

Cheddar ⑤
râpé
500 ml (2 tasses)

PRÉVOIR AUSSI :
➤ **Farine**
45 ml (3 c. à soupe)

➤ **Bouillon de bœuf**
réduit en sodium
750 ml (3 tasses)

➤ **Ail**
haché
15 ml (1 c. à soupe)

FACULTATIF :
➤ **Cannelle**
1,25 ml (¼ de c. à thé)

Casserole de bœuf à la patate douce et au cheddar

Préparation : **15 minutes** • Cuisson à faible intensité : **7 heures** • Quantité : **6 portions**

Préparation

Assécher la viande à l'aide de papier absorbant.

Dans une poêle, chauffer un peu d'huile de canola à feu moyen-élevé. Faire dorer quelques cubes de viande à la fois de 2 à 3 minutes.

Saupoudrer de farine. Poivrer et remuer.

Dans la mijoteuse, mélanger la pâte de tomates avec le bouillon de bœuf, l'ail et, si désiré, la cannelle.

Ajouter la viande et les légumes dans la mijoteuse. Remuer.

Couvrir et cuire de 7 à 8 heures à faible intensité.

Au moment du repas, transférer la préparation à la viande dans un plat de cuisson.

Réchauffer la purée de patates douces quelques minutes au micro-ondes.

Couvrir la viande de purée de patates douces chaude, puis garnir de cheddar.

Faire gratiner au four quelques minutes à la position « gril » (*broil*), jusqu'à ce que le fromage soit doré.

PAR PORTION	
Calories	744
Protéines	70 g
Matières grasses	33 g
Glucides	38 g
Fibres	5 g
Fer	7 mg
Calcium	366 mg
Sodium	859 mg

Version maison

Purée de patates douces aux oignons verts

Peler, puis tailler en cubes 4 patates douces.
Déposer dans un plat allant au micro-ondes et verser 60 ml (¼ de tasse) d'eau dans le plat. Couvrir d'une pellicule plastique. Cuire au micro-ondes de 10 à 12 minutes, jusqu'à tendreté. Dans le contenant du robot culinaire, réduire en purée les patates douces avec 45 ml (3 c. à soupe) de lait chaud et 80 ml (⅓ de tasse) de fromage à la crème nature ramolli. Saler et poivrer. Incorporer 2 oignons verts émincés et 10 ml (2 c. à thé) de sarriette hachée.

Bœuf
350 g (environ ¾ de lb)
de steak de surlonge

1

**Mélange de légumes
surgelés de style
asiatique**
décongelés et égouttés
500 ml (2 tasses)

2

Orange
125 ml (½ tasse) de jus
+ 15 ml (1 c. à soupe)
de zestes

3

Bouillon de bœuf
125 ml (½ tasse)

4

Sauce soya
réduite en sodium
45 ml (3 c. à soupe)

5

PRÉVOIR AUSSI :
➤ 1 **oignon**
haché
➤ **Fécule de maïs**
15 ml (1 c. à soupe)

FACULTATIF :
➤ **Gingembre**
haché
15 ml (1 c. à soupe)
➤ **Graines de sésame**
15 ml (1 c. à soupe)

Bœuf à l'orange

Préparation : **15 minutes** • Cuisson à faible intensité : **4 heures** • Quantité : **4 portions**

Préparation

Couper le bœuf en fines lanières.

Dans une poêle, chauffer un peu d'huile de canola à feu moyen-élevé. Faire dorer les lanières de bœuf 1 minute de chaque côté.

Déposer les lanières de bœuf, l'oignon et le mélange de légumes dans la mijoteuse.

Dans un bol, mélanger le jus d'orange avec les zestes, le bouillon, la sauce soya, la fécule de maïs et, si désiré, le gingembre. Verser la sauce dans la mijoteuse. Remuer.

Couvrir et cuire de 4 à 5 heures à faible intensité.

Si désiré, parsemer de graines de sésame au moment de servir.

PAR PORTION	
Calories	189
Protéines	22 g
Matières grasses	5 g
Glucides	13 g
Fibres	2 g
Fer	3 mg
Calcium	39 mg
Sodium	587 mg

Idée pour accompagner

Riz ail et gingembre

Dans une casserole, faire fondre 15 ml (1 c. soupe) de beurre à feu moyen. Cuire 1 oignon haché, 5 ml (1 c. à thé) d'ail haché et 15 ml (1 c. à soupe) de gingembre haché de 2 à 3 minutes. Ajouter 250 ml (1 tasse) de riz blanc à grains longs rincé et égoutté, puis cuire 30 secondes en remuant. Verser 500 ml (2 tasses) de bouillon de poulet et porter à ébullition. Couvrir et cuire à feu doux-moyen de 18 à 20 minutes, jusqu'à ce qu'il n'y ait plus de liquide.

Bœuf aux légumes d'antan

Préparation : **15 minutes** • Cuisson à faible intensité : **6 heures** • Quantité : **4 portions**

Bœuf ❶
450 g (1 lb) de cubes
à ragoût

2 échalotes sèches ❷
(françaises)
hachées

**Mélange de légumes
surgelés pour
mijoteuse** ❸
décongelés et égouttés
1 sac de 750 g

½ poivron rouge ❹
coupé en cubes

Bouillon de bœuf ❺
250 ml (1 tasse)

Préparation

Assécher les cubes de bœuf à l'aide de papier absorbant.

Dans une poêle, chauffer un peu d'huile de canola à feu moyen. Faire dorer quelques cubes de bœuf à la fois de 2 à 3 minutes. Transférer dans la mijoteuse.

Ajouter les échalotes, le mélange de légumes, le poivron et l'oignon dans la mijoteuse. Saupoudrer de farine et remuer.

Ajouter le bouillon de bœuf. Saler, poivrer et remuer.

Couvrir et cuire de 6 à 8 heures à faible intensité.

PAR PORTION	
Calories	328
Protéines	29 g
Matières grasses	9 g
Glucides	31 g
Fibres	6 g
Fer	4 mg
Calcium	71 mg
Sodium	369 mg

Idée pour accompagner

Salade de bébés épinards aux poires et pacanes caramélisées

Dans une poêle, chauffer 125 ml (½ tasse) de sirop d'érable à feu moyen. Cuire 2 poires coupées en quartiers et 80 ml (⅓ de tasse) de pacanes de 2 à 3 minutes, jusqu'à ce qu'elles soient caramélisées. Dans un saladier, fouetter 60 ml (¼ de tasse) d'huile d'olive avec 15 ml (1 c. à soupe) de vinaigre de xérès et 15 ml (1 c. à soupe) de moutarde à l'ancienne. Saler et poivrer. Ajouter 750 ml (3 tasses) de bébés épinards, les poires et les pacanes. Remuer.

PRÉVOIR AUSSI :
➤ **Farine**
80 ml (⅓ de tasse)
➤ **1 gros oignon**
haché

Bœuf haché mi-maigre ❶
600 g (environ 1 ⅓ lb)

Chapelure assaisonnée à l'italienne ❷
180 ml (¾ de tasse)

Bouillon de bœuf ❸
réduit en sodium
60 ml (¼ de tasse)

Sirop d'érable ❹
60 ml (¼ de tasse)

Sauce barbecue ❺
à faible teneur en sel
80 ml (⅓ de tasse)

PRÉVOIR AUSSI :
➤ 1 **oignon**
haché

➤ 1 **œuf**
battu

Pain de viande à l'érable

Préparation : **10 minutes** • Cuisson à faible intensité : **6 heures** • Quantité : **4 portions**

Préparation

Dans un grand bol, mélanger le bœuf haché avec la chapelure, le bouillon de bœuf, 30 ml (2 c. à soupe) de sirop d'érable, l'oignon et l'œuf. Poivrer.

Dans un autre bol, mélanger le reste du sirop d'érable avec la sauce barbecue.

Tapisser la mijoteuse de papier parchemin, puis y façonner un pain de viande. Napper le pain de viande de sauce.

Couvrir et cuire de 6 à 7 heures à faible intensité ou de 3 à 4 heures à intensité élevée, jusqu'à ce qu'un thermomètre à cuisson inséré au centre du pain de viande indique 74 °C (165 °F).

PAR PORTION	
Calories	544
Protéines	34 g
Matières grasses	27 g
Glucides	40 g
Fibres	2 g
Fer	5 mg
Calcium	99 mg
Sodium	578 mg

Idée pour accompagner

Poêlée de pois verts, carottes et haricots verts

Dans une poêle, faire fondre 30 ml (2 c. à soupe) de beurre à feu moyen. Cuire 1 oignon haché 1 minute. Verser 125 ml (½ tasse) de bouillon de poulet et porter à ébullition. Ajouter 2 carottes émincées, 100 g (3 ½ oz) de haricots verts coupés en morceaux et 250 ml (1 tasse) de pois verts. Couvrir et cuire de 10 à 12 minutes. Parsemer de 5 ml (1 c. à thé) d'assaisonnements italiens. Saler, poivrer et remuer. Égoutter au besoin.

4 pommes de terre
pelées
1

4 patates douces
pelées
2

Bœuf
1,5 kg (3 ⅓ lb) de rôti
de côtes croisées
3

Sauce demi-glace
en poudre
1 sachet de 34 g
4

Bouillon de bœuf
réduit en sodium
375 ml (1 ½ tasse)
5

FACULTATIF :
➤ **Thym**
haché
10 ml (2 c. à thé)

PRÉVOIR AUSSI :
➤ 2 petits **oignons rouges**
émincés

➤ **Romarin**
haché
5 ml (1 c. à thé)

Bœuf aux deux pommes de terre

Préparation : **15 minutes** • Cuisson à faible intensité : **8 heures** • Quantité : de 4 à 6 portions

Préparation

Tailler les pommes de terre et les patates douces en cubes. Déposer dans la mijoteuse.

Dans une poêle, chauffer un peu d'huile de canola à feu moyen. Faire dorer le rôti sur toutes les faces de 2 à 3 minutes. Retirer de la poêle et déposer dans la mijoteuse. Jeter l'huile de cuisson.

Dans la même poêle, verser le contenu du sachet de sauce demi-glace et le bouillon. Porter à ébullition en fouettant.

Dans la mijoteuse, ajouter les oignons rouges.

Verser le bouillon sur les légumes et la viande. Saler et poivrer.

Couvrir et cuire de 8 à 10 heures à faible intensité ou de 5 à 6 heures à intensité élevée.

Si désiré, ajouter le thym et le romarin dans la mijoteuse environ 1 heure avant la fin de la cuisson.

PAR PORTION	
Calories	488
Protéines	55 g
Matières grasses	13 g
Glucides	36 g
Fibres	4 g
Fer	6 mg
Calcium	53 mg
Sodium	732 mg

Idée pour accompagner

Salade César et bocconcinis

Dans un saladier, mélanger 80 ml (⅓ de tasse) de vinaigrette César avec 60 ml (¼ de tasse) de jus d'orange. Ajouter le contenu de 1 contenant de perles de bocconcini de 200 g égouttées, 1 laitue romaine déchiquetée et 250 ml (1 tasse) de croûtons. Remuer délicatement.

Mélange de légumes surgelés pour mijoteuse
décongelés et égouttés
1 sac de 750 g ①

Bœuf ②
675 g (environ 1 ½ lb)
de cubes à ragoût

Sirop d'érable ③
125 ml (½ tasse)

Pâte de tomates ④
30 ml (2 c. à soupe)

Bière blonde ⑤
180 ml (¾ de tasse)

PRÉVOIR AUSSI :
➤ **Farine**
45 ml (3 c. à soupe)
➤ **Bouillon de bœuf**
250 ml (1 tasse)

FACULTATIF :
➤ 16 **oignons perlés**
épluchés

Mijoté de bœuf à l'érable, bière et légumes

Préparation : **15 minutes** • Cuisson à faible intensité : **8 heures** • Quantité : **4 portions**

Préparation

Déposer le mélange de légumes dans la mijoteuse.

Dans une poêle, chauffer un peu d'huile de canola à feu moyen. Faire dorer les cubes de bœuf de 2 à 3 minutes sur toutes les faces.

Si désiré, ajouter les oignons perlés dans la poêle et cuire 1 minute.

Saupoudrer la viande et les oignons de farine et remuer.

Transférer la viande et les oignons dans la mijoteuse.

Dans un bol, mélanger le sirop d'érable avec la pâte de tomates et le bouillon. Verser cette préparation dans la mijoteuse et remuer.

Ajouter la bière dans la mijoteuse. Saler, poivrer et remuer.

Couvrir et cuire de 8 à 10 heures à faible intensité.

PAR PORTION	
Calories	527
Protéines	41 g
Matières grasses	14 g
Glucides	56 g
Fibres	5 g
Fer	5 mg
Calcium	120 mg
Sodium	417 mg

Idée pour accompagner

Salade romaine au fenouil, sauce ranch

Dans un saladier, mélanger 80 ml (⅓ de tasse) de vinaigrette ranch avec 30 ml (2 c. à soupe) de jus d'orange. Ajouter 1 bulbe de fenouil émincé, ½ laitue romaine déchiquetée et 10 radis émincés. Saler, poivrer et remuer.

Bœuf ①
675 g (environ 1 ½ lb)
de surlonge coupé en
lanières épaisses

Champignons ②
émincés
2 contenants de 227 g
chacun

4 carottes ③
coupées en petits cubes

Bouillon de bœuf ④
250 ml (1 tasse)

Crème à cuisson 15 % ⑤
180 ml (¾ de tasse)

PRÉVOIR AUSSI :
➤ **Farine**
45 ml (3 c. à soupe)
➤ **Paprika**
15 ml (1 c. à soupe)

FACULTATIF :
➤ **1 oignon**
haché
➤ **Ail**
haché
15 ml (1 c. à soupe)

Bœuf Stroganoff

Préparation : **15 minutes** • Cuisson à faible intensité : **4 heures**
Cuisson à intensité élevée : **15 minutes** • Quantité : **4 portions**

Préparation

Dans un bol, mélanger les lanières de bœuf avec
la farine.

Dans une poêle, chauffer un peu d'huile de canola
à feu moyen. Faire dorer quelques lanières de bœuf
à la fois de 2 à 3 minutes. Transférer le bœuf dans
la mijoteuse au fur et à mesure.

Dans la même poêle, cuire les champignons et, si désiré,
l'oignon et l'ail 2 minutes. Transférer dans la mijoteuse.

Ajouter les carottes, le bouillon et le paprika dans
la mijoteuse. Remuer.

Couvrir et cuire de 4 heures à 4 heures 30 minutes
à faible intensité.

Incorporer la crème et prolonger la cuisson
de 15 minutes à intensité élevée.

PAR PORTION	
Calories	447
Protéines	43 g
Matières grasses	22 g
Glucides	20 g
Fibres	4 g
Fer	5 mg
Calcium	91 mg
Sodium	373 mg

Idée pour accompagner

Pappardelles persillées

Dans une casserole d'eau bouillante salée,
cuire 350 g (environ ¾ de lb) de pappardelles
al dente. Égoutter. Dans la même casserole, faire
fondre 30 ml (2 c. à soupe) de beurre à feu moyen. Remettre
les pâtes dans la casserole. Ajouter 30 ml (2 c. à soupe) de
persil haché. Saler, poivrer et remuer. Réchauffer 1 minute
en remuant.

Photo carottes : Shutterstock

Bœuf ❶

1,5 kg (3 ⅓ lb) de rôti
de palette sans os

**Assaisonnements
pour chili** ❷

30 ml (2 c. à soupe)

Sauce chili ❸

125 ml (½ tasse)

Sauce tomate ❹

125 ml (½ tasse)

Coriandre ❺

hachée grossièrement
375 ml (1 ½ tasse)

PRÉVOIR AUSSI :

➤ 1 **oignon**
haché

➤ **Ail**
haché
15 ml (1 c. à soupe)

Bœuf effiloché au chili
et à la coriandre

Préparation : **15 minutes** • Cuisson à faible intensité : **8 heures 30 minutes** • Quantité : **6 portions**

Préparation

Frotter le rôti de palette avec les assaisonnements
pour chili. Déposer le rôti dans la mijoteuse.

Ajouter la sauce chili, la sauce tomate, 250 ml (1 tasse)
de coriandre hachée, l'oignon et l'ail dans la mijoteuse.
Poivrer et remuer.

Couvrir et cuire de 8 à 10 heures à faible intensité.

Retirer le rôti de palette de la mijoteuse. Effilocher
la viande à l'aide de deux fourchettes.

Remettre la viande dans la mijoteuse et remuer. Couvrir
et prolonger la cuisson de 30 minutes.

Ajouter le reste de la coriandre hachée dans la mijoteuse
et remuer.

Si désiré, servir le bœuf effiloché dans des tortillas.

PAR PORTION	
Calories	412
Protéines	53 g
Matières grasses	17 g
Glucides	9 g
Fibres	2 g
Fer	6 mg
Calcium	44 mg
Sodium	707 mg

Idée pour accompagner

Salsa de maïs

Couper 1 tomate, ½ poivron vert, ½ oignon
rouge et 1 jalapeño épépiné en dés. Déposer
les légumes dans un bol. Ajouter 250 ml (1 tasse)
de maïs en grains, 30 ml (2 c. à soupe) d'huile d'olive,
15 ml (1 c. à soupe) de zestes de lime et 1,25 ml (¼ de
c. à thé) de chipotle. Remuer.

Végé santé

Manger des repas sans viande de temps en temps
ne peut qu'être bénéfique pour notre santé, à
condition qu'ils nous fournissent les nutriments
dont on a besoin. Voici une belle variété de
recettes nutritives et savoureuses à ajouter
à votre répertoire de mets végé… et mijotés !

Tofu ferme ①
1 bloc de 450 g
coupé en morceaux

Pois chiches ②
rincés et égouttés
1 boîte de 540 ml

**Sauce satay
aux arachides** ③
410 ml (1 ⅔ tasse)

**Tomates en dés
avec épices** ④
1 boîte de 796 ml

Arachides ⑤
rôties
60 ml (¼ de tasse)

PRÉVOIR AUSSI :
➤ 1 **oignon**
haché
➤ **Gingembre**
râpé
15 ml (1 c. à soupe)

FACULTATIF :
➤ **Bébés épinards**
1 litre (4 tasses)

Mijoté aux arachides

Préparation : **15 minutes** • Cuisson à faible intensité : **6 heures** • Quantité : **6 portions**

Préparation

Dans la mijoteuse, mélanger les morceaux de tofu
avec les pois chiches, la sauce satay, les tomates en dés,
l'oignon, le gingembre et, si désiré, les bébés épinards.

Couvrir et cuire de 6 à 8 heures à faible intensité
ou de 3 à 4 heures à intensité élevée.

Au moment de servir, garnir d'arachides.

PAR PORTION	
Calories	350
Protéines	21 g
Matières grasses	16 g
Glucides	39 g
Fibres	10 g
Fer	9 mg
Calcium	287 mg
Sodium	720 mg

Idée pour accompagner

Nouilles de riz au sésame

Cuire 250 g (environ ½ lb) de nouilles
de riz selon les indications de l'emballage.
Égoutter. Dans une casserole, chauffer 30 ml
(2 c. à soupe) d'huile de sésame (non grillé) à
feu moyen. Faire dorer 1 oignon émincé de 1 à
2 minutes. Ajouter les nouilles de riz et réchauffer de 1 à
2 minutes. Garnir de 30 ml (2 c. à soupe) de persil haché.

6 œufs ①
battus

Assaisonnements ②
tex-mex
10 ml (2 c. à thé)

Maïs ③
250 ml (1 tasse)
de grains

Haricots noirs ④
rincés et égouttés
1 boîte de 540 ml

Monterey Jack ⑤
râpé
125 ml (½ tasse)

PRÉVOIR AUSSI :
➤ **Lait 2 %**
180 ml (¾ de tasse)
➤ **Farine**
60 ml (¼ de tasse)
➤ **Poudre à pâte**
5 ml (1 c. à thé)

FACULTATIF :
➤ 1 **poivron rouge**
coupé en dés

Quiche à la mexicaine

Préparation : **15 minutes** • Cuisson à faible intensité : **5 heures** • Quantité : **4 portions**

Préparation

Beurrer l'intérieur de la mijoteuse.

Dans la mijoteuse, fouetter les œufs avec les assaisonnements tex-mex, le lait, la farine et la poudre à pâte.

Ajouter le maïs, les haricots et, si désiré, le poivron. Poivrer. Bien mélanger.

Garnir la préparation de fromage râpé.

Couvrir et cuire de 5 à 6 heures à faible intensité ou de 3 heures à 3 heures 30 minutes à intensité élevée.

PAR PORTION	
Calories	402
Protéines	26 g
Matières grasses	15 g
Glucides	43 g
Fibres	8 g
Fer	4 mg
Calcium	286 mg
Sodium	900 mg

Idée pour accompagner

Salade romaine tomates et micropousses

Dans un saladier, mélanger 60 ml (¼ de tasse) d'huile d'olive avec 30 ml (2 c. à soupe) de jus de citron, 15 ml (1 c. à soupe) de miel et 2 oignons verts hachés. Saler et poivrer. Ajouter 1 laitue romaine déchiquetée, le contenu de 1 contenant de micropousses de 30 g, 3 tomates cocktail coupées en quartiers et ½ oignon rouge émincé. Remuer.

**Mélange d'épices
à l'indienne**
20 ml (4 c. à thé)

(1)

Lait de coco
60 ml (¼ de tasse)

(2)

Tofu ferme
1 bloc de 450 g
râpé

(3)

1 chou-fleur
coupé en petits
bouquets

(4)

1 pomme Gala
non pelée
coupée en quartiers

(5)

PRÉVOIR AUSSI :

➤ **Bouillon de légumes**
sans sel ajouté
625 ml (2 ½ tasses)

➤ **Farine**
30 ml (2 c. à soupe)

➤ **½ oignon**
haché

FACULTATIF :

➤ **Raisins secs**
60 ml (¼ de tasse)

➤ **Épinards**
parés et émincés
250 ml (1 tasse)

➤ **Noix de cajou**
60 ml (¼ de tasse)

Cari de chou-fleur

Préparation : **15 minutes** • Cuisson à faible intensité : **7 heures** • Quantité : **4 portions**

Préparation

Dans la mijoteuse, mélanger les épices à l'indienne
avec le lait de coco, le bouillon de légumes et la farine.

Ajouter le tofu, le chou-fleur, la pomme, l'oignon et,
si désiré, les raisins secs et les épinards.

Couvrir et cuire de 7 à 8 heures à faible intensité.

Si désiré, garnir de noix de cajou au moment de servir.

PAR PORTION	
Calories	325
Protéines	22 g
Matières grasses	16 g
Glucides	35 g
Fibres	7 g
Fer	9 mg
Calcium	332 mg
Sodium	611 mg

Version maison

Mélange d'épices à l'indienne

Mélanger 15 ml (1 c. à soupe) de cari
avec 15 ml (1 c. à soupe) de gingembre râpé, 2,5 ml
(½ c. à thé) de cannelle, 2,5 ml (½ c. à thé) de cumin
et 2,5 ml (½ c. à thé) de curcuma.

Chili aux haricots

Préparation : **15 minutes** • Cuisson à faible intensité : **6 heures** • Quantité : **4 portions**

Préparation

Dans la mijoteuse, mélanger les légumineuses avec la sauce marinara, le cumin, la poudre de chili, le paprika fumé, les légumes et le bouillon.

Couvrir et cuire de 6 à 8 heures à faible intensité.

Si désiré, garnir de coriandre et de crème sure au moment de servir.

PAR PORTION	
Calories	404
Protéines	19 g
Matières grasses	6 g
Glucides	70 g
Fibres	21 g
Fer	7 mg
Calcium	132 mg
Sodium	895 mg

Mélange de six ❶
légumineuses
rincées et égouttées
2 boîtes de 540 ml
chacune

Sauce ❷
marinara
500 ml (2 tasses)

Cumin ❸
10 ml (2 c. à thé)

Idée pour accompagner

Chips de maïs gratinées

Sur une plaque de cuisson tapissée de papier parchemin, répartir le contenu de ½ sac de croustilles de maïs de 220 g. Dans un bol, mélanger 5 ml (1 c. à thé) de coriandre moulue avec 375 ml (1 ½ tasse) de mélange de fromages râpés de type Mexicana. Garnir les croustilles du mélange au fromage. Cuire au four à 205 °C (400 °F) de 8 à 10 minutes. Faire gratiner 1 minute à la position « gril » (*broil*).

Mélange de légumes ❹
frais pour sauce
à spaghetti
500 ml (2 tasses)

Bouillon de légumes ❺
réduit en sodium
125 ml (½ tasse)

PRÉVOIR AUSSI :
➤ **Poudre de chili**
10 ml (2 c. à thé)

➤ **Paprika fumé**
10 ml (2 c. à thé)

FACULTATIF :
➤ **Coriandre**
30 ml (2 c. à soupe)
de feuilles

➤ **Crème sure 14 %**
125 ml (½ tasse)

Tofu ferme ①
1 bloc de 450 g
coupé en gros cubes

Champignons ②
coupés en quartiers
500 ml (2 tasses)

Pâte de tomates ③
30 ml (2 c. à soupe)

**Bouillon à fondue
au vin rouge** ④
750 ml (3 tasses)

Carottes ⑤
pelées et coupées
en rondelles
250 ml (1 tasse)

PRÉVOIR AUSSI :
➤ **Fécule de maïs**
30 ml (2 c. à soupe)

➤ **Oignons perlés**
épluchés
250 ml (1 tasse)

FACULTATIF :
➤ **Thym**
1 tige

Tofu bourguignon

Préparation : **15 minutes** • Cuisson à faible intensité : **7 heures** • Quantité : **4 portions**

Préparation

Dans une poêle, chauffer un peu d'huile d'olive à feu moyen-élevé. Faire dorer les cubes de tofu sur toutes les faces. Saler et poivrer. Égoutter sur du papier absorbant.

Dans la même poêle, chauffer un peu d'huile d'olive à feu moyen-élevé. Cuire les champignons de 3 à 4 minutes. Saler et poivrer.

Dans la mijoteuse, fouetter la pâte de tomates avec le bouillon et la fécule de maïs.

Ajouter le tofu, les champignons, les carottes, les oignons perlés et, si désiré, le thym. Remuer.

Couvrir et cuire de 7 à 8 heures à faible intensité.

PAR PORTION	
Calories	268
Protéines	17 g
Matières grasses	7 g
Glucides	41 g
Fibres	4 g
Fer	7 mg
Calcium	285 mg
Sodium	662 mg

Idée pour accompagner

Cheveux d'ange à la méditerranéenne

Dans une casserole d'eau bouillante salée, cuire 250 g (environ ½ lb) de cheveux d'ange *al dente*. Égoutter. Dans une poêle, chauffer 30 ml (2 c. à soupe) d'huile d'olive à feu moyen. Cuire 80 ml (⅓ de tasse) de poivrons rouges rôtis coupés en morceaux, 60 ml (¼ de tasse) d'olives vertes tranchées et 15 ml (1 c. à soupe) de câpres 1 minute en remuant. Ajouter les pâtes et 80 ml (⅓ de tasse) de basilic haché. Saler, poivrer et remuer.

Tomates étuvées ①
1 boîte de 796 ml

Poivrons rouges rôtis ②
égouttés
500 g (environ 1 lb)

Lait évaporé ③
1 boîte de 354 ml

**Lentilles rouges
ou corail sèches** ④
250 ml (1 tasse)

Ail ⑤
2 gousses
hachées

PRÉVOIR AUSSI :

➤ 1 **oignon**
haché

➤ **Origan**
haché
30 ml (2 c. à soupe)

Sauce rosée aux poivrons rôtis et lentilles

Préparation : **15 minutes** • Cuisson à faible intensité : **5 heures** • Quantité : **environ 1,5 litre (6 tasses)**

Préparation

Dans la mijoteuse, mélanger tous les ingrédients. Poivrer.

Couvrir et cuire à faible intensité de 5 à 6 heures.

Transférer la préparation dans un bol. À l'aide du mélangeur-plongeur, réduire la préparation en une sauce lisse et onctueuse.

PAR PORTION	
Pour 375 ml (1 ½ tasse) de sauce	
Calories	419
Protéines	21 g
Matières grasses	14 g
Glucides	58 g
Fibres	8 g
Fer	6 mg
Calcium	365 mg
Sodium	880 mg

Secret de chef

On s'ajuste !

Les produits laitiers résistent bien mal à la cuisson de longue durée, c'est pourquoi on les ajoute normalement 30 minutes avant la fin de la cuisson. Il existe par contre un produit qui remplacera à merveille le lait ou la crème dans une recette à la mijoteuse : le lait évaporé (ou lait concentré non sucré). Le fait qu'il soit évaporé permet de l'ajouter au reste des ingrédients dès le début de la cuisson sans avoir besoin de s'en soucier par la suite. Attention toutefois de ne pas le confondre avec le lait concentré sucré, qui donnerait plutôt un caramel !

½ courge Butternut ①
pelée et coupée en dés

1 carotte ②
pelée et coupée en dés

Sauce tikka masala ③
200 ml (¾ de tasse
+ 4 c. à thé)

Pois chiches ④
rincés et égouttés
1 boîte de 540 ml

**Yogourt grec
nature 0 %** ⑤
160 ml (⅔ de tasse)

PRÉVOIR AUSSI :
➤ **1 oignon**
coupé en dés

FACULTATIF :
➤ **Gingembre**
haché
15 ml (1 c. à soupe)

Pois chiches et courge, sauce tikka masala

Préparation : **15 minutes** • Cuisson à faible intensité : **5 heures** • Quantité : **4 portions**

Préparation

Dans la mijoteuse, mélanger tous les ingrédients, à l'exception du yogourt. Saler et poivrer.

Couvrir et cuire de 5 à 6 heures à faible intensité.

Au moment de servir, incorporer le yogourt.

PAR PORTION	
Calories	282
Protéines	15 g
Matières grasses	7 g
Glucides	42 g
Fibres	8 g
Fer	4 mg
Calcium	228 mg
Sodium	194 mg

Secret de chef

Quand incorporer le yogourt dans un mijoté

Tous les types de yogourt (ordinaire, grec…) ont tendance à se séparer lorsqu'on les chauffe. Ainsi, si vous souhaitez utiliser du yogourt dans une sauce qui mijotera, comme dans cette recette, incorporez-le en fin de cuisson ou au moment de servir. Vous pouvez aussi le mélanger avec un peu de farine ou de fécule de maïs, ce qui le liera et l'empêchera de former des grumeaux.

Photo carottes : Shutterstock.

Bouillon de légumes ①
sans sel ajouté
310 ml (1 ¼ tasse)

Pâte de cari rouge ②
30 ml (2 c. à soupe)

Lait de coco ③
1 boîte de 400 ml

**Riz blanc à grains
longs étuvé** ④
375 ml (1 ½ tasse)

**Mélange de légumes
surgelés de style italien** ⑤
décongelés et égouttés
750 ml (3 tasses)

PRÉVOIR AUSSI :
➤ **Sauce soya**
30 ml (2 c. à soupe)

Casserole de légumes
et riz au lait de coco

Préparation : **15 minutes** • Cuisson à faible intensité : **1 heure 45 minutes** • Quantité : **4 portions**

Préparation

Dans la mijoteuse, mélanger le bouillon de légumes avec la pâte de cari, le lait de coco et la sauce soya.

Ajouter le riz et les légumes. Remuer.

Couvrir et cuire de 1 heure 45 minutes à 2 heures à faible intensité.

Si désiré, garnir de noix de cajou et d'oignons verts au moment de servir.

PAR PORTION	
Calories	634
Protéines	14 g
Matières grasses	28 g
Glucides	82 g
Fibres	6 g
Fer	4 mg
Calcium	104 mg
Sodium	1 046 mg

Astuce 5•15

Intégrer le riz directement dans la mijoteuse

Oubliez cette idée de préparer le riz dans une casserole à part avant de l'ajouter dans la mijoteuse ! Il existe en effet un type de riz qui convient à la cuisson à la mijoteuse : le riz étuvé à grains longs (de type Uncle Ben's). Contrairement aux autres sortes de riz (basmati, au jasmin, etc.), celui-ci peut être ajouté dans la mijoteuse dès le début de la cuisson. Il suffit de prévoir la même quantité de liquide que de riz. De la vaisselle en moins ? C'est oui !

FACULTATIF :
➤ **Noix de cajou**
180 ml (¾ de tasse)
➤ **2 oignons verts**
hachés

186

8 œufs ①

Lait 2 % ②
180 ml (¾ de tasse)

**Fromage fouetté
à la crème** ③
1 paquet de 227 g

Ciboulette ④
hachée
45 ml (3 c. à soupe)

Cheddar fort ⑤
râpé
250 ml (1 tasse)

PRÉVOIR AUSSI :
➤ **Farine**
60 ml (¼ de tasse)
➤ **Poudre à pâte**
5 ml (1 c. à thé)

FACULTATIF :
➤ **Persil**
haché
45 ml (3 c. à soupe)

Omelette soufflée au fromage

Préparation : **15 minutes** • Cuisson à faible intensité : **3 heures** • Quantité : **4 portions**

Préparation

Dans un bol, fouetter les œufs avec le lait, le fromage à la crème, la ciboulette et, si désiré, le persil. Saler et poivrer.

Dans un autre bol, mélanger la farine avec la poudre à pâte.

Incorporer graduellement les ingrédients secs aux ingrédients liquides.

Beurrer généreusement l'intérieur d'une petite mijoteuse, puis y verser la préparation.

Parsemer de cheddar.

Couvrir et cuire de 3 heures à 3 heures 30 minutes à faible intensité.

PAR PORTION	
Calories	652
Protéines	33 g
Matières grasses	54 g
Glucides	14 g
Fibres	0 g
Fer	2 mg
Calcium	544 mg
Sodium	832 mg

Idée pour accompagner

Garniture de légumes sautés

Dans une poêle, faire fondre 30 ml (2 c. à soupe) de beurre à feu moyen. Cuire 1 blanc de poireau émincé de 2 à 3 minutes. Ajouter 80 ml (⅓ de tasse) de tomates séchées émincées, le contenu de 1 contenant de champignons de 227 g émincés et 250 ml (1 tasse) de poivrons rouges rôtis coupés en morceaux. Saler et poivrer. Cuire de 3 à 4 minutes en remuant.

Tomates en dés ①
1 boîte de 796 ml

Pois chiches ②
rincés et égouttés
1 boîte de 540 ml

Ras-el-hanout ③
ou épices à couscous
15 ml (1 c. à soupe)

2 courgettes ④
coupées en dés

**Yogourt grec
nature 0 %** ⑤
125 ml (½ tasse)

PRÉVOIR AUSSI :
➤ 1 **oignon**
haché

Mijoté à la marocaine

Préparation : **15 minutes** • Cuisson à faible intensité : **7 heures** • Quantité : **4 portions**

Préparation

Dans la mijoteuse, mélanger les tomates avec les pois chiches, le ras-el-hanout, les courgettes, l'oignon et, si désiré, l'aubergine.

Couvrir et cuire de 7 à 8 heures à faible intensité.

Au moment de servir, garnir chaque portion de yogourt et, si désiré, de coriandre.

PAR PORTION	
Calories	259
Protéines	15 g
Matières grasses	3 g
Glucides	47 g
Fibres	12 g
Fer	6 mg
Calcium	196 mg
Sodium	309 mg

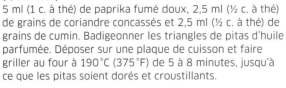

Idée pour accompagner

Pitas grillés au paprika fumé

Couper 4 pitas en huit triangles. Dans un bol, mélanger 80 ml (⅓ de tasse) d'huile d'olive avec 5 ml (1 c. à thé) de paprika fumé doux, 2,5 ml (½ c. à thé) de grains de coriandre concassés et 2,5 ml (½ c. à thé) de grains de cumin. Badigeonner les triangles de pitas d'huile parfumée. Déposer sur une plaque de cuisson et faire griller au four à 190 °C (375 °F) de 5 à 8 minutes, jusqu'à ce que les pitas soient dorés et croustillants.

FACULTATIF :
➤ 1 **petite aubergine**
coupée en cubes

➤ **Coriandre**
60 ml (¼ de tasse)
de feuilles

Haricots rouges ①
rincés et égouttés
1 boîte de 540 ml

Maïs ②
250 ml (1 tasse)
de grains

Salsa ③
500 ml (2 tasses)

**Mélange de fromages
râpés de type
tex-mex** ④
625 ml (2 ½ tasses)

Tortillas ⑤
8 petites

Enchiladas aux haricots rouges

Préparation : **15 minutes** • Cuisson à faible intensité : **3 heures** • Cuisson au four : **5 minutes**
Quantité : **de 6 à 8 portions**

Préparation

Dans la mijoteuse, mélanger les haricots avec le maïs, la salsa, la moitié du fromage, l'oignon et, si désiré, la coriandre.

Couvrir et cuire de 3 à 4 heures à faible intensité.

Au moment du repas, préchauffer le four à 205 °C (400 °F).

Déposer les tortillas sur une plaque de cuisson tapissée de papier parchemin. Répartir la préparation aux haricots sur les tortillas. Rouler en serrant.

Garnir les tortillas du reste du fromage. Cuire au four de 5 à 8 minutes.

PAR PORTION	
Calories	313
Protéines	16 g
Matières grasses	11 g
Glucides	39 g
Fibres	6 g
Fer	2 mg
Calcium	65 mg
Sodium	900 mg

Idée pour accompagner

Salade d'avocats

Dans un saladier, mélanger 30 ml (2 c. à soupe) de jus de lime avec 30 ml (2 c. à soupe) d'huile d'olive, 30 ml (2 c. à soupe) de coriandre hachée, 2 oignons verts émincés, 8 tomates cerises coupées en deux, ½ laitue romaine déchiquetée et 12 olives noires dénoyautées. Ajouter 2 avocats coupés en dés. Saler, poivrer et remuer délicatement.

PRÉVOIR AUSSI :
➤ **1 oignon**
haché

FACULTATIF :
➤ **Coriandre**
hachée
30 ml (2 c. à soupe)

Soupes-repas

Nutritives, colorées et réconfortantes, les soupes-repas ont de quoi faire le bonheur des petits comme des grands ! Aux saveurs d'ici et d'ailleurs, celles que l'on vous propose vous permettront de faire le tour du globe en direct de votre salle à manger.

6 oignons ❶
émincés

Farine ❷
60 ml (¼ de tasse)

Bouillon de bœuf ❸
1,5 litre (6 tasses)

Vin blanc ❹
125 ml (½ tasse)

Sirop d'érable ❺
60 ml (¼ de tasse)

PRÉVOIR AUSSI :
➤ Beurre
60 ml (¼ de tasse)

FACULTATIF :
➤ Thym
2 tiges

Soupe à l'oignon

Préparation : **15 minutes** • Cuisson à faible intensité : **8 heures** • Quantité : **4 portions**

Préparation

Dans une casserole, faire fondre le beurre à feu moyen. Cuire les oignons de 15 à 20 minutes à feu doux en remuant de temps en temps, jusqu'à ce qu'ils soient dorés.

Saupoudrer de farine et remuer.

Transférer les oignons dans la mijoteuse. Ajouter le bouillon de bœuf, le vin, le sirop d'érable et, si désiré, le thym. Couvrir et cuire 8 heures à faible intensité.

Si désiré, préparer les croûtons gratinés (voir recette ci-dessous) au moment de servir.

PAR PORTION	
Calories	305
Protéines	7 g
Matières grasses	13 g
Glucides	36 g
Fibres	3 g
Fer	2 mg
Calcium	92 mg
Sodium	1 333 mg

Ajoutez 13 g de protéines à votre soupe avec ces croûtons gratinés !

Idée pour accompagner

Croûtons gratinés

Déposer ¼ de pain baguette coupé en 8 tranches sur une plaque de cuisson. Faire griller au four de 1 à 2 minutes de chaque côté à la position « gril » (*broil*). Répartir la soupe dans des bols à gratin. Garnir chaque portion de deux croûtons. Couvrir de 375 ml (1 ½ tasse) de fromage suisse râpé et faire gratiner au four de 2 à 3 minutes à la position « gril » (*broil*).

2 carottes ①
coupées en dés

Céleri ②
2 branches
coupées en dés

Bouillon de poulet ③
1,5 litre (6 tasses)

Poulet ④
500 ml (2 tasses)
de poitrines sans peau
coupées en dés

Nouilles pour soupe ⑤
250 ml (1 tasse)

FACULTATIF :
➤ **Thym**
1 tige

PRÉVOIR AUSSI :
➤ **1 oignon**
coupé en dés

➤ **Laurier**
1 feuille

Soupe poulet et nouilles

Préparation : **15 minutes** • Cuisson à faible intensité : **4 heures 30 minutes** • Quantité : **4 portions**

Préparation

Dans la mijoteuse, déposer les carottes, le céleri,
le bouillon de poulet, le poulet, l'oignon et, si désiré,
le thym et la feuille de laurier. Saler, poivrer et remuer.

Couvrir et cuire de 4 à 5 heures à faible intensité.

Ajouter les nouilles. Couvrir et prolonger la cuisson
de 30 minutes.

PAR PORTION	
Calories	216
Protéines	27 g
Matières grasses	2 g
Glucides	8 g
Fibres	4 g
Fer	2 mg
Calcium	54 mg
Sodium	689 mg

Secret de chef

Faire un bouillon de poulet maison à la mijoteuse

Bien que les bouillons de poulet du commerce soient pratiques pour concocter des repas express, il n'y a rien de meilleur qu'un bon bouillon fait maison ! La prochaine fois que vous aurez sous la main une carcasse de poulet, profitez-en pour concocter un bouillon maison dans la mijoteuse : déposez la carcasse de poulet dans la mijoteuse, puis couvrez-la d'eau aux trois quarts. Ajoutez un léger assaisonnement (carottes, céleri, oignons, ail, thym, laurier...). Couvrez et faites cuire de 6 à 7 heures à faible intensité. Filtrez le bouillon, puis congelez-le dans des bacs à glaçons. Vous aurez toujours sous la main un savoureux bouillon de poulet maison !

Pâte de cari rouge ①
30 ml (2 c. à soupe)

Bouillon de légumes ou de poulet ②
sans sel ajouté
375 ml (1 ½ tasse)

Lait de coco ③
1 boîte de 400 ml

Carottes ④
coupées en julienne
250 ml (1 tasse)

Vermicelles de riz ⑤
100 g (3 ½ oz)

PRÉVOIR AUSSI :
➤ **Échalotes sèches**
(françaises)
hachées
30 ml (2 c. à soupe)

➤ **Gingembre**
haché
15 ml (1 c. à soupe)

FACULTATIF :
➤ **Lime**
15 ml (1 c. à soupe)
de jus

➤ **Coriandre**
hachée
15 ml (1 c. à soupe)

Soupe thaïlandaise au lait de coco

Préparation : **15 minutes** • Cuisson à faible intensité : **7 heures** • Quantité : **4 portions**

Préparation

Dans la mijoteuse, mélanger la pâte de cari rouge avec le bouillon, le lait de coco, les carottes, les échalotes, le gingembre et, si désiré, le jus de lime.

Couvrir et cuire de 7 à 8 heures à faible intensité.

Au moment de servir, réhydrater les vermicelles de riz selon les indications de l'emballage. Égoutter.

Ajouter les vermicelles dans la mijoteuse et remuer.

Répartir la soupe dans les bols. Si désiré, garnir de coriandre.

PAR PORTION	
Calories	248
Protéines	5 g
Matières grasses	15 g
Glucides	23 g
Fibres	3 g
Fer	2 mg
Calcium	45 mg
Sodium	725 mg

Option santé

Ajouter des protéines à la soupe

Vous souhaitez faire de cette soupe un repas complet ? Assurez-vous d'y ajouter une protéine afin d'en faire un mets rassasiant : du poulet, du tofu ou encore des crevettes s'accorderont à merveille aux parfums de cette recette ! Dans le cas du poulet et du tofu, ajoutez-les dès le début de la cuisson. Dans le cas des crevettes, ajoutez-les 1 heure avant la fin de la cuisson.

Photo carottes : Shutterstock.

1 courge Butternut ①
pelée et coupée
en cubes

4 pommes Cortland ②
pelées et coupées
en cubes

**Bouillon de légumes
ou de poulet** ③
1 litre (4 tasses)

Jus de pomme ④
500 ml (2 tasses)

Crème à cuisson 15 % ⑤
125 ml (½ tasse)

PRÉVOIR AUSSI :
➤ **1 oignon**
haché
➤ **Ail**
haché
15 ml (1 c. à soupe)

FACULTATIF :
➤ **Laurier**
1 feuille
➤ **Muscade**
2,5 ml (½ c. à thé)

Velouté de courge Butternut et pommes

Préparation : **15 minutes** • Cuisson à faible intensité : **7 heures** • Quantité : **4 portions**

Préparation

Dans la mijoteuse, mélanger la courge avec les pommes, le bouillon, le jus de pomme, l'oignon, l'ail et, si désiré, la feuille de laurier et la muscade. Saler et poivrer.

Couvrir et cuire de 7 à 8 heures à faible intensité.

Retirer la feuille de laurier de la préparation. Transvider la préparation dans le contenant du mélangeur élec-trique. Ajouter la crème. Émulsionner de 1 à 2 minutes, jusqu'à l'obtention d'une préparation lisse.

PAR PORTION	
Calories	300
Protéines	9 g
Matières grasses	7 g
Glucides	56 g
Fibres	9 g
Fer	3 mg
Calcium	176 mg
Sodium	424 mg

Ajoutez 9 g de protéines à votre soupe avec ces croûtons au chèvre !

Idée pour accompagner

Croûtons au chèvre

Déposer 12 tranches de pain baguette sur une plaque de cuisson, puis les tartiner avec le contenu de 1 paquet de fromage de chèvre crémeux de 125 g. Parsemer de 10 ml (2 c. à thé) de thym haché. Faire griller au four à la position « gril » (*broil*) de 2 à 3 minutes.

Bouillon de bœuf ❶
750 ml (3 tasses)

Bœuf ❷
450 g (1 lb) de
cubes pour fondue
bourguignonne

2 pommes de terre ❸
coupées en cubes

2 carottes ❹
coupées en petits cubes

1 poireau ❺
émincé

PRÉVOIR AUSSI :
➤ **1 oignon**
haché

➤ **Ail**
haché
15 ml (1 c. à soupe)

FACULTATIF :
➤ **Pois verts**
250 ml (1 tasse)

Soupe au bœuf et légumes

Préparation : **15 minutes** • Cuisson à faible intensité : **8 heures** • Quantité : **4 portions**

Préparation

Dans la mijoteuse, déposer tous les ingrédients,
à l'exception des pois verts. Saler et poivrer.

Couvrir et cuire de 8 à 10 heures à faible intensité.

Si désiré, incorporer les pois verts environ 30 minutes
avant la fin de la cuisson.

PAR PORTION	
Calories	313
Protéines	31 g
Matières grasses	10 g
Glucides	25 g
Fibres	5 g
Fer	4 mg
Calcium	68 mg
Sodium	724 mg

Idée pour accompagner

Pains au fromage express

Dans le contenant du robot culinaire, déposer 500 ml (2 tasses) de farine,
15 ml (1 c. à soupe) de poudre à pâte, 125 ml
(½ tasse) de parmesan râpé, 125 ml (½ tasse)
de yogourt nature, 125 ml (½ tasse) de lait, 30 ml
(2 c. à soupe) d'huile d'olive et 1,25 ml (¼ de c. à
thé) de sel. Mélanger jusqu'à l'obtention d'une boule
de pâte. Sur une surface farinée, former 8 petites
boules avec la pâte. Déposer les boules de pâte sur
une plaque de cuisson tapissée de papier parchemin, en les espaçant de 5 cm (2 po). Cuire au four
de 18 à 20 minutes à 205 °C (400 °F).

Poulet
4 cuisses sans peau ➊

4 patates douces ➋
pelées et coupées
en dés

Tomates broyées ➌
½ boîte de 796 ml

Pâte de cari douce ➍
45 ml (3 c. à soupe)

Riz basmati ➎
125 ml (½ tasse)

PRÉVOIR AUSSI :
➤ 1 **oignon**
haché
➤ 2 **carottes**
coupées en dés

FACULTATIF :
➤ **Ail**
haché
10 ml (2 c. à thé)
➤ **Céleri**
2 branches émincées

Soupe épicée au poulet et patates douces

Préparation : **15 minutes** • Cuisson à faible intensité : **5 heures 50 minutes** • Quantité : **6 portions**

Préparation

Dans une casserole, chauffer un peu d'huile de canola à feu moyen. Saisir l'oignon et, si désiré, l'ail de 1 à 2 minutes.

Ajouter les cuisses de poulet et faire dorer de 1 à 2 minutes de chaque côté.

Déposer les patates douces dans la mijoteuse. Ajouter les cuisses de poulet, l'oignon, l'ail, 1 litre (4 tasses) d'eau, les tomates broyées, les carottes et, si désiré, le céleri. Couvrir et cuire 5 heures à faible intensité.

Retirer les cuisses de la mijoteuse et effilocher la chair du poulet.

Ajouter la pâte de cari, le riz et le poulet effiloché dans la mijoteuse. Prolonger la cuisson de 50 minutes à 1 heure, jusqu'à ce que la soupe soit chaude.

PAR PORTION	
Calories	282
Protéines	21 g
Matières grasses	4 g
Glucides	40 g
Fibres	5 g
Fer	2 mg
Calcium	79 mg
Sodium	755 mg

Astuce 5•15

Varier les morceaux de poulet

Pour cette recette, nous avons utilisé des cuisses de poulet, mais vous pourriez tout aussi bien choisir des hauts de cuisses ou des poitrines de poulet. Faites votre choix en fonction des rabais de la semaine afin de rendre cette soupe simplissime encore plus écono !

Pommes de terre ❶
pelées et
coupées en dés
500 ml (2 tasses)

Fumet de poisson ❷
500 ml (2 tasses)

Saumon ❸
1 filet de 400 g
(environ 1 lb)
peau enlevée
et coupé en dés

Maïs ❹
égoutté
1 boîte de grains
de 341 ml

Lait 2 % ❺
500 ml (2 tasses)

PRÉVOIR AUSSI :
➤ 1 **oignon**
haché

➤ **Ail**
haché
10 ml (2 c. à thé)

➤ **Fécule de maïs**
30 ml (2 c. à soupe)

FACULTATIF :
➤ 1 **poivron rouge**
coupé en dés

Chaudrée de maïs et saumon

Préparation : **15 minutes** • Cuisson à faible intensité : **2 heures 30 minutes** • Quantité : **6 portions**

Préparation

Déposer les pommes de terre dans la mijoteuse.

Ajouter le fumet de poisson, le saumon, l'oignon et l'ail.

Couvrir et cuire de 2 à 3 heures à faible intensité.

Dans un bol, délayer la fécule de maïs dans un peu d'eau froide. Incorporer la fécule, le maïs, le lait et, si désiré, le poivron dans la mijoteuse. Prolonger la cuisson de 30 à 45 minutes, jusqu'à ce que le mélange soit chaud. Saler et poivrer.

PAR PORTION	
Calories	298
Protéines	20 g
Matières grasses	11 g
Glucides	30 g
Fibres	3 g
Fer	1 mg
Calcium	126 mg
Sodium	622 mg

Idée pour accompagner

Pailles au sésame

Sur une surface farinée, abaisser 250 g (environ ½ lb) de pâte feuilletée en un rectangle de 25 cm x 15 cm (10 po x 6 po). Badigeonner la pâte avec 1 jaune d'œuf battu. Saupoudrer de 30 ml (2 c. à soupe) de graines de sésame noires et blanches grillées. Saler et poivrer. Presser légèrement afin que les ingrédients adhèrent bien à la pâte. Tailler des bandes de 1,5 cm (⅓ de po) de largeur. Tourner chaque bande de pâte sur elle-même afin de lui donner la forme d'une vrille. Déposer les pailles sur une plaque de cuisson tapissée de papier parchemin. Cuire au four de 15 à 20 minutes à 180 °C (350 °F), jusqu'à ce que les pailles soient dorées et croustillantes.

Soupe campagnarde au poulet

Préparation : **15 minutes** • Cuisson à faible intensité : **6 heures** • Quantité : **6 portions**

Préparation

Dans une casserole, chauffer un peu d'huile d'olive à feu moyen. Faire dorer les cubes de poulet sur toutes les faces quelques minutes.

Déposer tous les ingrédients dans la mijoteuse, à l'exception du persil. Remuer.

Couvrir et cuire à faible intensité de 6 à 8 heures ou à intensité élevée de 3 à 4 heures.

Si désiré, garnir de persil au moment de servir.

PAR PORTION	
Calories	338
Protéines	30 g
Matières grasses	2 g
Glucides	47 g
Fibres	16 g
Fer	4 mg
Calcium	135 mg
Sodium	900 mg

Poulet ❶
450 g (1 lb) de poitrines sans peau coupées en cubes

Mélange de légumes surgelés pour mijoteuse ❷
décongelés et égouttés
1 paquet de 750 g

Haricots blancs ❸
rincés et égouttés
1 boîte de 540 ml

Riz étuvé à grains longs ❹
125 ml (½ tasse)

Bouillon de poulet ❺
1,5 litre (6 tasses)

Idée pour accompagner

Croûtons ail et piment d'Espelette

Dans un bol, mélanger 60 ml (¼ de tasse) d'huile d'olive avec 10 ml (2 c. à thé) de thym haché, 5 ml (1 c. à thé) de romarin haché, 5 ml (1 c. à thé) d'ail haché et 5 ml (1 c. à thé) de piment d'Espelette. Couper ¼ de baguette de pain en 12 tranches et les badigeonner d'huile parfumée. Déposer les tranches sur une plaque de cuisson et faire dorer au four de 2 à 3 minutes à la position « gril » (*broil*).

FACULTATIF :
➤ **Persil**
haché
30 ml (2 c. à soupe)

Bouillon de légumes ou de poulet ①
2 litres (8 tasses)

Cari ②
15 ml (1 c. à soupe)

Mélange de légumes frais pour soupe ③
500 ml (2 tasses)

Orge mondé ou perlé ④
250 ml (1 tasse)

Lentilles rouges ou corail sèches ⑤
125 ml (½ tasse)

PRÉVOIR AUSSI :
➤ **Ail**
haché
10 ml (2 c. à thé)

FACULTATIF :
➤ **Thym**
1 tige

Soupe d'orge et lentilles à l'indienne

Préparation : **15 minutes** • Cuisson à faible intensité : **8 heures** • Quantité : **4 portions**

Préparation

Dans la mijoteuse, mélanger le bouillon avec le cari et l'ail. Ajouter le mélange de légumes, l'orge, les lentilles et, si désiré, le thym

Couvrir et cuire de 8 à 10 heures à faible intensité.

PAR PORTION	
Calories	324
Protéines	19 g
Matières grasses	2 g
Glucides	40 g
Fibres	13 g
Fer	5 mg
Calcium	122 mg
Sodium	810 mg

Idée pour accompagner

Pains naan épicés

Dans un bol, mélanger 45 ml (3 c. à soupe) d'huile d'olive avec 15 ml (1 c. à soupe) de zestes de citron, 1,25 ml (¼ de c. à thé) de flocons de piment, 15 ml (1 c. à soupe) de poudre d'oignons et 15 ml (1 c. à soupe) d'assaisonnements italiens. Badigeonner 3 pains naan avec l'huile parfumée. Couper chaque pain naan en 10 pointes, puis déposer sur une plaque de cuisson. Faire griller au four de 8 à 10 minutes à 180°C (350°F).

Soupe aux légumes, poulet et orge

Préparation : **10 minutes** • Cuisson à faible intensité : **8 heures** • Quantité : **4 portions**

Préparation

Dans la mijoteuse, mélanger le bouillon de légumes avec la crème de tomate. Ajouter le mélange de légumes, l'orge et le poulet.

Couvrir et cuire de 8 à 10 heures à faible intensité.

PAR PORTION	
Calories	238
Protéines	26 g
Matières grasses	2 g
Glucides	30 g
Fibres	6 g
Fer	2 mg
Calcium	84 mg
Sodium	826 mg

Bouillon de légumes
sans sel ajouté
500 ml (2 tasses) **1**

Crème de tomate condensée
1 boîte de 284 ml **2**

Mélange de légumes frais pour soupe
750 ml (3 tasses) **3**

Orge perlé
60 ml (¼ de tasse) **4**

Poulet
2 poitrines sans peau coupées en dés **5**

Idée pour accompagner

Bâtonnets de *grilled cheese*

Tartiner de beurre un seul côté de 8 tranches de pain. Répartir 250 ml (1 tasse) de cheddar fort râpé et 1 pomme tranchée sur le côté non beurré de quatre tranches de pain. Fermer les sandwichs, côté beurré à l'extérieur. Chauffer une grande poêle à feu moyen. Cuire les *grilled cheese* de 2 à 3 minutes de chaque côté. Laisser tiédir de 2 à 3 minutes sur une grille. Couper chaque *grilled cheese* en quatre bâtonnets.

Soupe aux pois traditionnelle

Préparation : **15 minutes** • Cuisson à intensité élevée : **5 heures** • Quantité : **8 portions**

Porc ①
1 jarret de 500 g
(environ 1 lb)

Bouillon de poulet ②
1,5 litre (6 tasses)

**Mélange de légumes
frais pour soupe** ③
1 paquet de 700 g

Pois jaunes cassés ④
500 ml (2 tasses)

Sirop d'érable ⑤
60 ml (¼ de tasse)

Préparation

Si désiré, parer le jarret de porc en retirant une petite quantité de gras.

Dans la mijoteuse, déposer tous les ingrédients.

Couvrir et cuire de 5 à 6 heures à intensité élevée.

PAR PORTION	
Calories	376
Protéines	24 g
Matières grasses	12 g
Glucides	45 g
Fibres	6 g
Fer	4 mg
Calcium	101 mg
Sodium	337 mg

Astuce 5•15

Quels pois choisir ?

Il est possible de concocter cette soupe avec des pois jaunes cassés ou entiers. Il faut cependant savoir que les pois entiers nécessitent un trempage de 12 heures avant la cuisson. Cette étape permet de faciliter la cuisson des pois et, du même coup, de rendre plus aisée leur digestion !

FACULTATIF :
➤ **Laurier**
   1 feuille
➤ **Thym**
   1 tige

Bouillon de poulet ①
sans sel ajouté
1,5 litre (6 tasses)

Poulet ②
450 g (1 lb)
de poitrines sans peau
émincées

Sauce de poisson ③
30 ml (2 c. à soupe)

8 shiitakes ④
émincés

2 tomates ⑤
épépinées et
coupées en dés

PRÉVOIR AUSSI :
➤ **Cassonade**
15 ml (1 c. à soupe)

➤ **1 oignon**
haché

➤ **Gingembre**
haché
15 ml (1 c. à soupe)

FACULTATIF :
➤ **Lime**
30 ml (2 c. à soupe)
de jus

➤ **1 piment thaï**
haché finement

Soupe Tom Yum au poulet

Préparation : **15 minutes** • Cuisson à faible intensité : **6 heures** • Quantité : **4 portions**

Préparation

Dans la mijoteuse, déposer le bouillon de poulet,
le poulet, la sauce de poisson, la cassonade, l'oignon,
le gimgembre et, si désiré, le jus de lime et le piment.

Couvrir et cuire de 5 à 6 heures à faible intensité.

Ajouter les shiitakes et les tomates. Couvrir et prolonger
la cuisson de 1 heure.

PAR PORTION	
Calories	197
Protéines	31 g
Matières grasses	2 g
Glucides	13 g
Fibres	3 g
Fer	2 mg
Calcium	49 mg
Sodium	1 374 mg

Secret de chef

C'est encore meilleur avec de la citronnelle !

Envie de bonifier cette soupe Tom Yum de
parfum exquis ? La citronnelle est une plante
herbacée qui s'accorde parfaitement aux
plats d'inspiration asiatique. Il suffit d'ajouter
deux tiges de citronnelle coupées en deux sur
la longueur (prenez soin de retirer les feuilles
vertes d'abord) en début de cuisson afin de
profiter de ses qualités aromatiques sans
pareilles. Prenez toutefois soin de retirer les
tiges de citronnelle avant de servir la soupe.

**Boulettes de viande
à la suédoise** ①

du commerce
surgelées, décongelées
580 g (environ 1 ¼ lb)

**Bouillon de poulet
ou de légumes** ②

2 litres (8 tasses)

**Mélange de légumes
surgelés pour
mijoteuse** ③

décongelés et égouttés
750 ml (3 tasses)

Orge perlé ④

125 ml (½ tasse)

Bébés épinards ⑤

500 ml (2 tasses)

Soupe aux boulettes de viande

Préparation : **15 minutes** • Cuisson à faible intensité : **6 heures** • Quantité : **4 portions**

Préparation

Dans la mijoteuse, mélanger tous les ingrédients, à l'exception des bébés épinards.

Couvrir et cuire de 6 à 8 heures à faible intensité.

Au moment de servir, ajouter les bébés épinards dans la mijoteuse. Remuer.

PAR PORTION	
Calories	575
Protéines	29 g
Matières grasses	35 g
Glucides	37 g
Fibres	9 g
Fer	5 mg
Calcium	120 mg
Sodium	1 396 mg

Version maison

Boulettes de viande

Dans un bol, mélanger 450 g (1 lb) de porc haché maigre avec 60 ml (¼ de tasse) de chapelure nature, 1 œuf battu, 15 ml (1 c. à soupe) de gingembre haché et 10 ml (2 c. à thé) d'ail haché. Saler et poivrer. Façonner des boulettes en utilisant environ 30 ml (2 c. à soupe) de préparation pour chacune d'elles. Pour utiliser ces boulettes dans la soupe : dans une poêle, chauffer 30 ml (2 c. à soupe) d'huile de canola à feu moyen. Saisir les boulettes sur toutes les faces de 1 à 2 minutes. Déposer les boulettes dans la mijoteuse avec le reste des ingrédients, à l'exception des bébés épinards. Couvrir et cuire de 3 à 4 heures à intensité élevée. Au moment de servir, incorporer les bébés épinards.

Poulet ❶
3 poitrines sans peau
coupées en morceaux

Bouillon de poulet ❷
500 ml (2 tasses)

Sauce Alfredo ❸
500 ml (2 tasses)

Farfalles ❹
330 ml (1 ⅓ tasse)

Bébés épinards ❺
500 ml (2 tasses)

PRÉVOIR AUSSI :
➤ 1 **oignon**
coupé en dés
➤ 1 **carotte**
tranchée

FACULTATIF :
➤ **Tomates séchées**
émincées
80 ml (⅓ de tasse)

Chaudrée de poulet à la florentine

Préparation : **15 minutes** • Cuisson à faible intensité : **6 heures** • Quantité : **6 portions**

Préparation

Dans une casserole, faire fondre un peu de beurre à feu moyen. Faire revenir l'oignon et la carotte 2 minutes.

Ajouter les morceaux de poulet et les faire dorer 2 minutes.

Dans la mijoteuse, déposer l'oignon, la carotte, le poulet, le bouillon et la sauce Alfredo. Couvrir et cuire de 5 à 6 heures à faible intensité.

Ajouter les pâtes et, si désiré, les tomates séchées. Prolonger la cuisson de 1 heure, jusqu'à ce que les pâtes soient *al dente*.

Au moment de servir, ajouter les bébés épinards dans la mijoteuse. Remuer.

PAR PORTION	
Calories	278
Protéines	26 g
Matières grasses	9 g
Glucides	21 g
Fibres	2 g
Fer	2 mg
Calcium	68 mg
Sodium	875 mg

Option santé

Les règles d'or de la soupe-repas

Pour être rassasiante et fournir tous les nutriments essentiels, une soupe-repas devrait contenir des aliments d'au moins trois des quatre groupes du *Guide alimentaire canadien*. Elle devrait aussi fournir un minimum de 15 g de protéines par portion. À titre indicatif, cette quantité équivaut à 125 ml (½ tasse) de viande, de volaille, de poisson ou de fruits de mer, à 180 ml (¾ de tasse) de légumineuses ou de tofu, à 60 g (environ 2 ¼ oz) de fromage ou à 2 œufs.

Mélange de légumes surgelés de style italien
décongelés et égouttés
750 ml (3 tasses) **①**

Bouillon de légumes ou de poulet
1,5 litre (6 tasses) **②**

¼ de chou vert
émincé **③**

Haricots blancs
rincés et égouttés
250 ml (1 tasse) **④**

Orzo **⑤**
125 ml (½ tasse)

PRÉVOIR AUSSI :
➤ **Ail**
haché
10 ml (2 c. à thé)
➤ **4 tomates**
coupées en dés

FACULTATIF :
➤ **Parmesan**
râpé
125 ml (½ tasse)

Minestrone

Préparation : **15 minutes** • Cuisson à faible intensité : **6 heures** • Quantité : **4 portions**

Préparation

Déposer le mélange de légumes dans la mijoteuse.

Ajouter le bouillon, le chou, les haricots et l'ail.

Couvrir et cuire 5 heures 30 minutes à faible intensité.

Ajouter l'orzo et les tomates. Poursuivre la cuisson 30 minutes, jusqu'à ce que les pâtes soient *al dente*.

Répartir la soupe dans les bols. Si désiré, garnir chaque portion de parmesan.

PAR PORTION	
Calories	286
Protéines	20 g
Matières grasses	5 g
Glucides	40 g
Fibres	13 g
Fer	3 mg
Calcium	253 mg
Sodium	1 119 mg

À découvrir

Avec de la pancetta !

Dans la recette traditionnelle de soupe minestrone, on ajoutait de la pancetta. Pour reproduire cette version, ajoutez 6 tranches de pancetta coupées en morceaux dans la mijoteuse en même temps que le mélange de légumes : en laissant mijoter cette charcuterie italienne pendant plusieurs heures, sa saveur se diffusera dans le bouillon et conférera un goût divin à la soupe !

1 carotte
coupée en morceaux ❶

1 poivron rouge ❷
émincé

Tomates broyées ❸
1 boîte de 796 ml

Bouillon de légumes ❹
500 ml (2 tasses)

Haricots rouges ❺
rincés et égouttés
1 boîte de 540 ml

Soupe aux tomates et haricots rouges

Préparation : **15 minutes** • Cuisson à faible intensité : **4 heures** • Quantité : **4 portions**

Préparation

Dans la mijoteuse, mélanger tous les ingrédients.

Couvrir et cuire 4 heures à faible intensité.

Transvider la préparation dans le contenant du mélangeur électrique. Émulsionner 1 minute, jusqu'à l'obtention d'une texture lisse et onctueuse.

PAR PORTION	
Calories	223
Protéines	13 g
Matières grasses	1 g
Glucides	44 g
Fibres	10 g
Fer	6 mg
Calcium	113 mg
Sodium	504 mg

Ajoutez 2 g de protéines à votre soupe avec cette garniture aux pistaches !

Idée pour accompagner

Garniture aux pistaches

Verser la soupe dans les bols. Répartir 60 ml (¼ de tasse) de crème sure, 45 ml (3 c. à soupe) de pistaches hachées et 15 ml (1 c. à soupe) de feuilles d'origan sur les portions de soupe.

PRÉVOIR AUSSI :
➤ **1 oignon**
haché

➤ **Sucre**
30 ml (2 c. à soupe)

FACULTATIF :
➤ **Curcuma**
5 ml (1 c. à thé)

➤ **Flocons de piment**
5 ml (1 c. à thé)

2 carottes ❶
émincées

Bouillon de poulet ❷
750 ml (3 tasses)

Lait de coco ❸
1 boîte de 400 ml

Crevettes moyennes ❹
(calibre 31/40)
surgelées
crues et décortiquées
1 sac de 350 g
décongelées et égouttées

Vermicelles de riz ❺
100 g (3 ½ oz)

PRÉVOIR AUSSI :
➤ **Gingembre**
haché
15 ml (1 c. à soupe)

➤ **Ail**
haché
10 ml (2 c. à thé)

Soupe au lait de coco et crevettes

Préparation : **15 minutes** • Cuisson à faible intensité : **7 heures** • Quantité : **4 portions**

Préparation

Dans la mijoteuse, mélanger les carottes avec le bouillon, le lait de coco, le gingembre, l'ail et, si désiré, le jus de lime.

Couvrir et cuire de 6 heures 30 minutes à 7 heures 30 minutes à faible intensité.

Ajouter les crevettes dans la mijoteuse et prolonger la cuisson de 30 minutes.

Au moment de servir, réhydrater les vermicelles de riz en suivant les indications sur l'emballage. Égoutter.

Incorporer les vermicelles à la soupe.

Répartir la soupe dans les bols. Si désiré, garnir de coriandre.

PAR PORTION	
Calories	332
Protéines	23 g
Matières grasses	17 g
Glucides	23 g
Fibres	2 g
Fer	4 mg
Calcium	97 mg
Sodium	494 mg

Idée pour accompagner

Wontons croquants au sésame

Badigeonner 12 feuilles de pâte à wontons avec 1 blanc d'œuf battu. Parsemer les feuilles de 45 ml (3 c. à soupe) de graines de sésame et presser afin qu'elles adhèrent bien à la pâte. Couper chaque feuille en diagonale. Badigeonner de 30 ml (2 c. à soupe) d'huile d'olive et déposer sur une plaque de cuisson tapissée de papier parchemin. Cuire au four de 8 à 10 minutes à 180°C (350°F), jusqu'à ce que la pâte soit dorée.

FACULTATIF :
➤ **Lime**
45 ml (3 c. à soupe)
de jus

➤ **Coriandre**
quelques feuilles

Samedi soir

Pour la plupart des gens, souper du samedi rime avec gâterie. Pour que vous puissiez vous faire plaisir sans devoir passer la journée à cuisiner, voici quelques mets mijotés aussi diversifiés que séduisants! Coq au vin, gratin de canard confit, jarrets d'agneau aux dattes... Lequel essaierez-vous samedi prochain?

Canard ❶
4 cuisses confites

1 oignon ❷
émincé

Persil ❸
haché
60 ml (¼ de tasse)

Pommes de terre ❹
1 paquet de purée de
680 g

Gruyère ❺
râpé
250 ml (1 tasse)

PRÉVOIR AUSSI :
➤ **Ail**
haché
10 ml (2 c. à thé)

Gratin de canard confit

Préparation : **15 minutes** • Cuisson à faible intensité : **7 heures** • Quantité : **4 portions**

Préparation

Déposer les cuisses de canard dans une assiette. Réchauffer au micro-ondes de 2 à 3 minutes à puissance maximale. Laisser tiédir. Retirer la peau des cuisses et effilocher la chair.

Dans un bol, mélanger le canard effiloché avec l'oignon, le persil et l'ail. Répartir la préparation au fond d'une petite mijoteuse. Couvrir de purée de pommes de terre et de gruyère.

Couvrir et cuire de 7 à 8 heures à faible intensité.

PAR PORTION	
Calories	539
Protéines	38 g
Matières grasses	29 g
Glucides	32 g
Fibres	3 g
Fer	3 mg
Calcium	342 mg
Sodium	786 mg

Version maison

Purée de pommes de terre et panais

Peler et couper en cubes 4 pommes de terre et 4 panais. Déposer dans une casserole et couvrir d'eau froide. Saler et porter à ébullition. Couvrir et cuire de 15 à 20 minutes à feu doux-moyen, jusqu'à tendreté. Égoutter et remettre dans la casserole. Réduire les légumes en purée avec 125 ml (½ tasse) de lait chaud et 30 ml (2 c. à soupe) de beurre. Saler et poivrer.

Haricots blancs ❶
rincés et égouttés
2 boîtes de 540 ml
chacune

Tomates en dés à l'ail ❷
1 boîte de 540 ml

Mélange de légumes ❸
frais pour sauce à
spaghetti
375 ml (1 ½ tasse)

4 saucisses ❹
de Toulouse

Porc ❺
4 côtelettes sans os

PRÉVOIR AUSSI :
➤ **Bouillon de poulet**
180 ml (¾ de tasse)

FACULTATIF :
➤ **Bacon précuit**
4 tranches coupées
en dés

➤ **Thym**
1 tige

Cassoulet au porc et saucisses

Préparation : **15 minutes** • Cuisson à faible intensité : **6 heures** • Quantité : **4 portions**

Préparation

Dans la mijoteuse, mélanger les haricots avec les tomates en dés, le mélange de légumes, le bouillon de poulet et, si désiré, le bacon et le thym. Poivrer.

Dans une poêle, chauffer un peu d'huile d'olive à feu moyen. Saisir les saucisses de 2 à 3 minutes. Déposer les saucisses dans la mijoteuse.

Dans la même poêle, saisir les côtelettes de porc 1 minute de chaque côté. Déposer les côtelettes dans la mijoteuse.

Couvrir et cuire de 6 à 7 heures à faible intensité.

Couper les saucisses en rondelles. Émincer les côtelettes.

PAR PORTION	
Calories	791
Protéines	62 g
Matières grasses	24 g
Glucides	83 g
Fibres	21 g
Fer	13 mg
Calcium	358 mg
Sodium	1 075 mg

Idée pour accompagner

Couscous au persil et à la lime

Dans une casserole, porter à ébullition 250 ml (1 tasse) de bouillon de légumes. Dans un bol, mélanger 250 ml (1 tasse) de couscous avec 15 ml (1 c. à soupe) d'huile d'olive. Verser le bouillon bouillant sur le couscous. Couvrir et laisser reposer 5 minutes. Égrainer le couscous à l'aide d'une fourchette. Incorporer 30 ml (2 c. à soupe) de jus de lime, 15 ml (1 c. à soupe) de zestes de lime et 15 ml (1 c. à soupe) de persil haché. Saler et poivrer.

234

Bœuf ❶
1,5 kg (3 ⅓ lb) de cubes
à mijoter

Vinaigre de cidre ❷
30 ml (2 c. à soupe)

Bouillon de bœuf ❸
250 ml (1 tasse)

Sirop d'érable ❹
60 ml (¼ de tasse)

4 grosses carottes ❺
pelées et coupées
en biseau

PRÉVOIR AUSSI :
➤ **Farine**
80 ml (⅓ de tasse)
➤ **Huile de canola**
60 ml (¼ de tasse)
➤ 1 gros **oignon**
coupé en dés

FACULTATIF :
➤ **Paprika**
5 ml (1 c. à thé)

Mijoté de bœuf à l'érable

Préparation : **15 minutes** • Cuisson à faible intensité : **7 heures** • Quantité : **6 portions**

Préparation

Fariner les cubes de bœuf.

Dans une grande poêle, chauffer l'huile de canola à feu doux-moyen. Faire dorer les cubes de bœuf sur toutes les faces, en procédant par petites quantités. Transférer dans la mijoteuse.

Dans un bol, mélanger le vinaigre de cidre avec le bouillon de bœuf, le sirop d'érable et, si désiré, le paprika. Verser dans la mijoteuse. Ajouter les carottes et l'oignon.

Couvrir et cuire de 7 à 8 heures à faible intensité.

PAR PORTION	
Calories	588
Protéines	52 g
Matières grasses	29 g
Glucides	21 g
Fibres	2 g
Fer	5 mg
Calcium	55 mg
Sodium	332 mg

Pour varier

Osez surprendre vos papilles !

Saviez-vous que parmi la vaste production agroalimentaire de l'Outaouais, on trouve du bon sirop d'érable, mais aussi de la viande de bison ? Surprenez vos papilles gustatives en remplaçant les cubes de bœuf par la même quantité de bison, lequel se trouve facilement au supermarché. Du fond de veau ou de bison complètera à merveille cette recette qui vous semblera complètement nouvelle.

Photo carottes: Shutterstock.

Poulet entier aux légumes racines

Préparation : **15 minutes** • Cuisson à faible intensité : **6 heures** • Quantité : **4 portions**

Préparation

Dans la cavité du poulet, déposer les quartiers de citron, le thym et le laurier. Frotter le poulet avec les assaisonnements pour poulet. Déposer le poulet dans la mijoteuse.

Verser 250 ml (1 tasse) d'eau dans la mijoteuse. Sur le pourtour du poulet, répartir les carottes, les pommes de terre et, si désiré, les gousses d'ail.

Couvrir et cuire de 6 à 7 heures à faible intensité, jusqu'à ce que la chair du poulet se détache facilement de l'os.

PAR PORTION	
Calories	785
Protéines	49 g
Matières grasses	54 g
Glucides	26 g
Fibres	5 g
Fer	4 mg
Calcium	77 mg
Sodium	528 mg

Idée pour accompagner

Sauce demi-glace au vin rouge et champignons

Dans une casserole, mélanger le contenu de 1 sachet de sauce demi-glace de 34 g avec 250 ml (1 tasse) de bouillon de bœuf et 125 ml (½ tasse) de vin rouge. Porter à ébullition en fouettant. Ajouter 8 champignons émincés et laisser mijoter de 2 à 3 minutes à feu doux-moyen.

Poulet entier ❶
1,5 kg (3 ⅓ lb)

1 citron ❷
coupé en quartiers

Assaisonnements pour poulet ❸
15 ml (1 c. à soupe)

Carottes miniatures ❹
1 paquet de 250 g

Pommes de terre grelots rouges ❺
avec la peau
coupées en deux
450 g (1 lb)

PRÉVOIR AUSSI :
➤ **Thym**
1 tige
➤ **Laurier**
1 feuille

FACULTATIF :
➤ **Ail**
2 gousses entières
pelées

Mélange de crevettes et pétoncles
surgelés, décongelés et égouttés
1 sac de 340 g
1

Homard **2**
1 sac de chair cuite et surgelée de 200 g décongelée et égouttée

Sauce Alfredo légère **3**
2 contenants de 600 ml chacun

12 lasagnes **5**

Mozzarella **4**
râpée
500 ml (2 tasses)

FACULTATIF :
➤ **Bébés épinards**
500 ml (2 tasses)

➤ **Aneth**
haché
30 ml (2 c. à soupe)

Lasagne royale aux fruits de mer

Préparation : **15 minutes** • Cuisson à faible intensité : **5 heures** • Quantité : **6 portions**

Préparation

Éponger les crevettes, les pétoncles et la chair de homard à l'aide de papier absorbant afin de retirer l'excédent d'eau.

Verser 80 ml (⅓ de tasse) de sauce Alfredo dans la mijoteuse.

Couvrir de trois lasagnes, puis du tiers du mélange de crevettes et pétoncles, du tiers du homard et, si désiré, du tiers des bébés épinards et de l'aneth. Napper de 310 ml (1 ¼ tasse) de sauce Alfredo. Répéter deux fois afin de former trois étages.

Couvrir des trois dernières lasagnes, puis napper de la sauce Alfredo restante et du fromage.

Couvrir et cuire de 5 à 6 heures à faible intensité, jusqu'à ce que les lasagnes soient *al dente*.

PAR PORTION	
Calories	552
Protéines	34 g
Matières grasses	23 g
Glucides	51 g
Fibres	2 g
Fer	2 mg
Calcium	425 mg
Sodium	1 585 mg

Version maison

Sauce Alfredo

Dans une casserole, porter à ébullition 500 ml (2 tasses) de crème à cuisson 15 % avec 250 ml (1 tasse) de vin blanc. Incorporer 250 ml (1 tasse) de parmesan râpé, 1 oignon haché et 10 ml (2 c. à thé) d'ail haché. Saler et poivrer. Laisser mijoter 10 minutes à feu moyen, jusqu'à ce que la préparation ait réduit du quart.

Poulet entier ❶
coupé en morceaux
1 kg (environ 2 ¼ lb)

Farine ❷
45 ml (3 c. à soupe)

Vin rouge corsé ❸
500 ml (2 tasses)

20 oignons perlés ❹
épluchés

Champignons ❺
1 contenant de 227 g

PRÉVOIR AUSSI :
➤ 1 **oignon**
haché

➤ **Ail**
2 gousses hachées

FACULTATIF :
➤ **Thym**
1 tige

➤ **Laurier**
1 feuille

Coq au vin

Préparation : **15 minutes** • Cuisson à faible intensité : **5 heures** • Quantité : **4 portions**

Préparation

Dans une casserole, faire fondre un peu de beurre à feu moyen. Faire dorer les morceaux de poulet sur toutes les faces. Saler et poivrer. Déposer dans la mijoteuse.

Saupoudrer le poulet de farine et remuer afin de bien l'enrober de farine.

Ajouter le vin, les oignons perlés, les champignons, l'oignon, l'ail et, si désiré, le thym et le laurier dans la mijoteuse.

Couvrir et cuire de 5 à 6 heures à faible intensité.

PAR PORTION	
Calories	623
Protéines	34 g
Matières grasses	36 g
Glucides	17 g
Fibres	2 g
Fer	3 mg
Calcium	50 mg
Sodium	135 mg

Idée pour accompagner

Pommes de terre bouillies

Dans une casserole, déposer 8 pommes de terre moyennes à chair jaune pelées. Couvrir d'eau froide et saler. Porter à ébullition, puis cuire de 18 à 20 minutes, jusqu'à tendreté. Égoutter. Saler et poivrer. Si désiré, servir avec un peu de beurre.

Mélange de légumes surgelés pour mijoteuse
décongelés et égouttés
1 paquet de 600 g
①

Bœuf
675 g (environ 1 ½ lb)
de cubes à ragoût
②

Tomates en dés
1 boîte de 540 ml
③

Bouillon à fondue
de type Original
250 ml (1 tasse)
④

Pommes de terre parisiennes
1 paquet de 500 g
⑤

FACULTATIF :
➤ **Thym**
1 tige

PRÉVOIR AUSSI :
➤ **Farine**
45 ml (3 c. à soupe)

➤ **Laurier**
1 feuille

Mijoté de bœuf aux légumes et pommes de terre parisiennes

Préparation : **15 minutes** • Cuisson à faible intensité : **8 heures** • Quantité : **4 portions**

Préparation

Déposer le mélange de légumes dans la mijoteuse.

Dans un bol, déposer les cubes de bœuf. Saupoudrer de farine et remuer pour bien enrober les cubes de bœuf de farine.

Dans une poêle, chauffer un peu d'huile de canola à feu moyen. Faire dorer quelques cubes de bœuf à la fois de 2 à 3 minutes sur toutes les faces. Transférer les cubes de bœuf dans la mijoteuse au fur et à mesure.

Ajouter les tomates en dés, le bouillon à fondue et, si désiré, le thym et le laurier dans la mijoteuse. Saler et poivrer.

Couvrir et cuire de 7 heures 30 minutes à 9 heures 30 minutes à faible intensité.

Ajouter les pommes de terre parisiennes dans la mijoteuse et poursuivre la cuisson 30 minutes.

PAR PORTION	
Calories	526
Protéines	43 g
Matières grasses	18 g
Glucides	48 g
Fibres	5 g
Fer	6 mg
Calcium	134 mg
Sodium	619 mg

Idée pour accompagner

Salade du jardin, vinaigrette crémeuse au chèvre

À l'aide du mélangeur-plongeur, mélanger 60 ml (¼ de tasse) de fromage de chèvre crémeux émietté avec 80 ml (⅓ de tasse) de lait, 60 ml (¼ de tasse) d'huile d'olive, 15 ml (1 c. à soupe) de vinaigre de cidre et 5 ml (1 c. à thé) de raifort. Dans un saladier, déposer ½ laitue iceberg déchiquetée, 2 tomates coupées en quartiers, ½ concombre émincé et 1 radicchio coupé en morceaux. Saler et poivrer. Verser la vinaigrette et remuer délicatement.

Veau ❶
4 à 6 tranches de jarret
(environ 1 kg - 2 ¼ lb)

Fond de veau ❷
250 ml (1 tasse)

Orange ❸
125 ml (½ tasse) de jus

Pâte de tomates ❹
30 ml (2 c. à soupe)

1 carotte ❺
coupée en dés

PRÉVOIR AUSSI:
➤ **Farine**
60 ml (¼ de tasse)

➤ **1 oignon**
haché

➤ **Ail**
8 gousses entières
pelées

FACULTATIF:
➤ **Orange**
15 ml (1 c. à soupe)
de zestes

➤ **Citron**
15 ml (1 c. à soupe)
de zestes

Osso buco aux agrumes

Préparation : **15 minutes** • Cuisson à faible intensité : **6 heures** • Quantité : **4 portions**

Préparation

Fariner les tranches de jarret.

Dans une grande poêle, chauffer un peu d'huile d'olive à feu moyen. Saisir les tranches de jarret de 1 à 2 minutes de chaque côté. Déposer dans la mijoteuse.

Dans un bol, mélanger le fond de veau avec le jus d'orange et la pâte de tomates. Verser dans la mijoteuse.

Ajouter la carotte, l'oignon, les gousses d'ail et, si désiré, les zestes d'orange et de citron dans la mijoteuse. Couvrir et cuire de 6 à 8 heures à faible intensité, jusqu'à ce que la viande se détache de l'os.

PAR PORTION	
Calories	442
Protéines	57 g
Matières grasses	14 g
Glucides	18 g
Fibres	2 g
Fer	3 mg
Calcium	87 mg
Sodium	293 mg

Idée pour accompagner

Polenta crémeuse au cheddar fort

Dans une casserole, porter 625 ml (2 ½ tasses) de lait à ébullition. Verser graduellement 125 ml (½ tasse) de semoule de maïs en pluie fine en remuant. Cuire 10 minutes en remuant avec une cuillère en bois. Ajouter 125 ml (½ tasse) de cheddar fort râpé et 30 ml (2 c. à soupe) de beurre. Saler, poivrer et remuer.

Porc ①
1 kg (environ 2 ¼ lb)
de cubes à ragoût

Sauce miel et ail ②
125 ml (½ tasse)

2 carottes ③
émincées

10 shiitakes ④
émincés

¼ d'ananas ⑤
coupé en morceaux

PRÉVOIR AUSSI :
➤ **Bouillon de légumes**
250 ml (1 tasse)

➤ **Échalotes sèches**
(françaises)
émincées
30 ml (2 c. à soupe)

Porc à l'asiatique

Préparation : **15 minutes** • Cuisson à faible intensité : **6 heures** • Quantité : **4 portions**

Préparation

Dans une grande poêle, chauffer un peu d'huile de canola à feu moyen. Faire dorer les cubes de porc sur toutes les faces en procédant par petites quantités. Déposer les cubes dans la mijoteuse au fur et à mesure.

Ajouter la sauce miel et ail, les carottes, les shiitakes, l'ananas, le bouillon de légumes et les échalotes dans la mijoteuse.

Couvrir et cuire de 6 à 8 heures à faible intensité.

Si la préparation est trop liquide, délayer 15 ml (1 c. à soupe) de fécule de maïs dans un peu d'eau froide et ajouter dans la mijoteuse en remuant. Poursuivre la cuisson 15 minutes à intensité élevée.

PAR PORTION	
Calories	369
Protéines	37 g
Matières grasses	12 g
Glucides	26 g
Fibres	1 g
Fer	2 mg
Calcium	51 mg
Sodium	367 mg

À découvrir

Les champignons shiitake

Consommé en Chine depuis des millénaires, le shiitake est la deuxième espèce de champignon la plus cultivée au monde après le champignon blanc. Cette variété à lamelles beiges et au chapeau foncé se retrouve fraîche ou déshydratée dans la plupart des supermarchés. Son goût boisé prononcé et persistant en fait un légume idéal pour les mijotés. Comme le pied de ce champignon est plutôt fibreux, il est préférable de le retirer.

Photo carottes : Shutterstock.

Moutarde de Dijon ①
30 ml (2 c. à soupe)

Bœuf ②
1 rôti de noix de ronde
de 1,5 kg (3 ⅓ lb)

2 oignons ③
émincés

Ail ④
6 gousses entières
pelées

Bouillon de bœuf ⑤
125 ml (½ tasse)

PRÉVOIR AUSSI :
➤ **Beurre**
ramolli
45 ml (3 c. à soupe)
➤ **Fécule de maïs**
15 ml (1 c. à soupe)

FACULTATIF :
➤ **Thym**
haché
10 ml (2 c. à thé)

Rosbif au jus

Préparation : **15 minutes** • Cuisson au four : **10 minutes** • Cuisson à intensité élevée : **2 heures 15 minutes**
Quantité : **8 portions**

Préparation

Préchauffer le four à 230 °C (450 °F).

Dans un bol, mélanger le beurre avec la moutarde et, si désiré, le thym. Saler et poivrer.

Déposer le rôti dans un plat de cuisson. Badigeonner le rôti avec la préparation à la moutarde. Répartir les oignons et les gousses d'ail autour du rôti. Cuire au four 10 minutes.

Retirer le plat du four, puis transférer la viande et les légumes dans la mijoteuse. Ajouter le bouillon de bœuf dans la mijoteuse.

Couvrir et cuire de 2 à 3 heures à intensité élevée, jusqu'à ce que la température interne de la viande atteigne 60 °C (140 °F) sur un thermomètre à cuisson pour une cuisson saignante ou 63 °C (145 °F) pour une cuisson mi-saignante.

Délayer la fécule de maïs dans un peu d'eau froide. Incorporer la fécule dans la mijoteuse en remuant. Poursuivre la cuisson 15 minutes.

PAR PORTION	
Calories	300
Protéines	45 g
Matières grasses	9 g
Glucides	6 g
Fibres	1 g
Fer	3 mg
Calcium	27 mg
Sodium	295 mg

Idée pour accompagner

Pommes de terre ail et parmesan

Dans un bol, mélanger 30 ml (2 c. à soupe) de beurre fondu avec 15 ml (1 c. à soupe) d'huile d'olive, 60 ml (¼ de tasse) de persil haché, 60 ml (¼ de tasse) de parmesan râpé, 15 ml (1 c. à soupe) d'ail haché, 15 ml (1 c. à soupe) de thym haché, 1 feuille de laurier et des flocons de piment au goût. Saler. Ajouter 500 g (environ 1 lb) de pommes de terre parisiennes et remuer. Déposer la préparation aux pommes de terre sur une plaque de cuisson tapissée de papier parchemin. Cuire au four de 12 à 15 minutes à 205 °C (400 °F), jusqu'à ce que les pommes de terre soient tendres.

Bouillon de poulet ①
250 ml (1 tasse)

Agneau ②
4 jarrets

Miel ③
30 ml (2 c. à soupe)

Porto ④
250 ml (1 tasse)

20 dattes séchées ⑤
dénoyautées et
coupées en dés

PRÉVOIR AUSSI :
➤ **Fécule de maïs**
30 ml (2 c. à soupe)
➤ **Moutarde de Dijon**
15 ml (1 c. à soupe)

FACULTATIF :
➤ 4 **échalotes sèches**
(françaises)
émincées

Jarrets d'agneau aux dattes

Préparation : **15 minutes** • Cuisson à faible intensité : **6 heures** • Quantité : **4 portions**

Préparation

Dans la mijoteuse, mélanger la fécule de maïs avec la moutarde de Dijon et le bouillon de poulet.

Dans une grande poêle, chauffer un peu d'huile d'olive à feu moyen. Faire dorer les jarrets. Saler et poivrer. Déposer les jarrets dans la mijoteuse.

Si désiré, faire dorer les échalotes dans la même poêle. Ajouter le miel et cuire 1 minute en remuant. Déglacer avec le porto en raclant les parois de la poêle avec une cuillère en bois. Transvider la préparation dans la mijoteuse et mélanger. Saler et poivrer.

Couvrir et cuire de 5 à 7 heures à faible intensité, selon la grosseur des jarrets, jusqu'à ce que la viande se défasse à la fourchette.

Ajouter les dattes et poursuivre la cuisson 1 heure.

PAR PORTION	
Calories	671
Protéines	81 g
Matières grasses	9 g
Glucides	53 g
Fibres	4 g
Fer	5 mg
Calcium	52 mg
Sodium	530 mg

Idée pour accompagner

Couscous échalotes et persil

Dans une poêle, chauffer un peu d'huile d'olive à feu moyen. Cuire 125 ml (½ tasse) d'échalotes sèches (françaises) émincées de 1 à 2 minutes. Transférer dans un bol et ajouter 250 ml (1 tasse) de couscous. Verser 250 ml (1 tasse) de bouillon de poulet bouillant. Saler et poivrer. Couvrir et laisser gonfler 5 minutes. Égrainer le couscous avec une fourchette, puis incorporer 60 ml (¼ de tasse) de persil haché.

Mélange de légumes frais pour sauce à spaghetti
1 sac de 700 g ❶

Vodka ❷
60 ml (¼ de tasse)

Sauce tomate ❸
1 contenant de 900 ml

Citron ❹
30 ml (2 c. à soupe) de jus + 15 ml (1 c. à soupe) de zestes

Crabe ❺
300 g (⅔ de lb) de chair égouttée

PRÉVOIR AUSSI :
➤ **Ail**
haché
15 ml (1 c. à soupe)

FACULTATIF :
➤ **Sambal oelek**
5 ml (1 c. à thé)

➤ **Aneth**
haché
15 ml (1 c. à soupe)

Sauce à spaghetti au crabe

Préparation : **15 minutes** • Cuisson à faible intensité : **7 heures** • Quantité : **2 litres (8 tasses)**

Préparation

Dans une grande casserole, chauffer un peu d'huile d'olive à feu moyen. Cuire le mélange de légumes, l'ail et, si désiré, le sambal oelek de 6 à 8 minutes, en remuant de temps en temps.

Verser la vodka et laisser mijoter jusqu'à ce que le liquide ait réduit de moitié.

Transférer la préparation à la vodka dans la mijoteuse. Ajouter la sauce tomate, le jus de citron, les zestes et, si désiré, l'aneth.

Couvrir et cuire de 6 à 7 heures à faible intensité.

Ajouter le crabe dans la mijoteuse et poursuivre la cuisson 1 heure.

PAR PORTION	
pour 125 ml (½ tasse) de sauce	
Calories	57
Protéines	4 g
Matières grasses	1 g
Glucides	7 g
Fibres	2 g
Fer	1 mg
Calcium	33 mg
Sodium	440 mg

Secret de chef

Pour une touche de fraîcheur

Bon en salade, en compote, en sauté, en gratin et même braisé, le fenouil est aussi goûteux que polyvalent ! Sa saveur anisée fera assurément souffler un vent de fraîcheur sur vos recettes préférées. Un bulbe de fenouil tranché et 5 ml (1 c. à thé) de grains de fenouil suffiront à transformer cette sauce : un petit ajout qui fera toute la différence lors de sa dégustation !

Gratin de pommes de terre au jambon

Préparation : **15 minutes** • Cuisson à faible intensité : **6 heures** • Quantité : **de 4 à 6 portions**

Préparation

Beurrer l'intérieur de la mijoteuse.

Éplucher les pommes de terre, puis les couper en tranches fines.

Dans un bol, fouetter le mélange laitier avec le contenu des sachets de sauce béchamel, l'ail, la fécule de maïs, la moitié du fromage et, si désiré, la muscade. Saler et poivrer.

Déposer le tiers des tranches de pommes de terre, le tiers du jambon et le tiers de la sauce béchamel dans la mijoteuse. Répéter ces étapes deux fois de façon à former trois étages. Couvrir avec le reste du fromage.

Couvrir et cuire de 6 à 7 heures à faible intensité, jusqu'à ce que les pommes de terre soient tendres.

PAR PORTION	
Calories	452
Protéines	21 g
Matières grasses	19 g
Glucides	53 g
Fibres	3 g
Fer	1 mg
Calcium	280 mg
Sodium	1 094 mg

Pommes de terre à chair jaune
1 kg (environ 2 ¼ lb) — ❶

Mélange laitier pour cuisson 5 %
750 ml (3 tasses) — ❷

Sauce béchamel
en poudre
2 sachets de 47 g chacun — ❸

Mélange de fromages italiens râpés
500 ml (2 tasses) — ❹

Jambon à l'érable
12 tranches épaisses — ❺

Idée pour accompagner

Asperges grillées

Couper les extrémités de 200 g (environ ½ lb) d'asperges. Déposer les asperges sur une plaque de cuisson tapissée de papier parchemin. Dans un bol, mélanger 30 ml (2 c. à soupe) d'huile de noisette avec 15 ml (1 c. à soupe) de miel et 15 ml (1 c. à soupe) d'assaisonnements à salade. Saler et poivrer. Arroser les asperges avec la préparation au miel et cuire au four de 12 à 15 minutes à 205 °C (400 °F).

PRÉVOIR AUSSI :
➤ **Ail**
haché
15 ml (1 c. à soupe)
➤ **Fécule de maïs**
15 ml (1 c. à soupe)

FACULTATIF :
➤ **Muscade**
5 ml (1 c. à thé)

Poulet ❶
4 cuisses avec la peau

Vin blanc ❷
125 ml (½ tasse)

Bouillon de poulet ❸
250 ml (1 tasse)

Soupe à l'oignon ❹
1 sachet de 45 g

Ail ❺
40 gousses entières
pelées

PRÉVOIR AUSSI :
➤ **Moutarde sèche**
15 ml (1 c. à soupe)
➤ **Laurier**
1 feuille

FACULTATIF :
➤ **Estragon**
2 tiges

Poulet aux 40 gousses d'ail

Préparation : **15 minutes** • Cuisson à faible intensité : **6 heures** • Quantité : **4 portions**

Préparation

Dans une poêle antiadhésive, faire dorer les cuisses de poulet de 1 à 2 minutes de chaque côté. Déposer les cuisses dans la mijoteuse.

Dans la même poêle, verser le vin blanc et porter à ébullition. Transvider dans la mijoteuse.

Dans un bol, mélanger le bouillon de poulet avec le contenu du sachet de soupe à l'oignon et la moutarde sèche. Verser dans la mijoteuse.

Ajouter les gousses d'ail, la feuille de laurier et, si désiré, l'estragon. Saler et poivrer. Couvrir et cuire de 6 à 7 heures à faible intensité.

PAR PORTION	
Calories	432
Protéines	34 g
Matières grasses	22 g
Glucides	17 g
Fibres	1 g
Fer	3 mg
Calcium	86 mg
Sodium	818 mg

Idée pour accompagner

Pain rôti aux fines herbes

Dans un bol, mélanger 45 ml (3 c. à soupe) de beurre fondu avec 30 ml (2 c. à soupe) d'huile d'olive, 15 ml (1 c. à soupe) de thym haché, 30 ml (2 c. à soupe) de persil haché et 15 ml (1 c. à soupe) d'origan haché. Couper ½ baguette de pain en 12 tranches fines. Badigeonner les tranches de pain avec la préparation aux fines herbes. Déposer les tranches sur une plaque de cuisson tapissée de papier d'aluminium. Faire griller au four de 8 à 10 minutes à 190 °C (375 °F).

Porc
3 jarrets ①

Bouillon de poulet
500 ml (2 tasses) ②

3 clous de girofle ③

Boulettes de porc ④
du commerce
1 paquet de 680 g

Farine grillée pâle ⑤
ou foncée
de type Blouin
80 ml (⅓ de tasse)

PRÉVOIR AUSSI :
➤ **Cannelle**
1,25 ml (¼ de c. à thé)

➤ **2 oignons**
émincés

FACULTATIF :
➤ **Ail**
1 gousse entière
pelée

Ragoût de boulettes de porc

Préparation : **15 minutes** • Cuisson à faible intensité : **7 heures** • Quantité : **de 10 à 12 portions**

Préparation

Dans une grande poêle, chauffer un peu d'huile de canola à feu moyen. Faire dorer les jarrets de porc de 1 à 2 minutes sur toutes les faces. Déposer les jarrets dans la mijoteuse.

Dans un bol, mélanger le bouillon de poulet avec les clous de girofle et la cannelle. Verser dans la mijoteuse.

Ajouter les boulettes, les oignons et, si désiré, l'ail dans la mijoteuse. Couvrir et cuire de 6 à 7 heures à faible intensité.

Retirer les jarrets de porc de la mijoteuse. Effilocher la chair à l'aide de deux fourchettes. Remettre dans la mijoteuse et remuer.

Délayer la farine grillée dans 125 ml (½ tasse) d'eau froide. Verser dans la mijoteuse en remuant. Couvrir et poursuivre la cuisson 1 heure.

PAR PORTION	
Calories	314
Protéines	15 g
Matières grasses	16 g
Glucides	5 g
Fibres	1 g
Fer	2 mg
Calcium	13 mg
Sodium	318 mg

Version maison

Boulettes de porc

Dans un bol, mélanger 450 g (1 lb) de porc haché extra-maigre avec 60 ml (¼ de tasse) de chapelure nature, 1,25 ml (¼ de c. à thé) de cannelle, 1,25 ml (¼ de c. à thé) de clous de girofle moulus et 1 œuf. Saler et poivrer. Façonner des boulettes en utilisant environ 30 ml (2 c. à soupe) de préparation pour chacune d'elles. Déposer les boulettes sur une plaque de cuisson tapissée de papier parchemin. Cuire au four de 12 à 15 minutes à 205 °C (400 °F). Il est important de cuire les boulettes maison au four avant la cuisson à faible intensité à la mijoteuse afin d'éviter le développement de bactéries.

Veau
755 g (1 ⅔ lb)
de cubes à ragoût
1

Bouillon de bœuf
500 ml (2 tasses)
2

Pâte de tomates
60 ml (¼ de tasse)
3

4 patates douces
pelées et coupées
en cubes
4

16 pruneaux
(prunes séchées)
dénoyautés
5

PRÉVOIR AUSSI :
➤ 1 **oignon**
haché
➤ **Farine**
30 ml (2 c. à soupe)

FACULTATIF :
➤ **Paprika fumé**
10 ml (2 c. à thé)
➤ **Ail**
haché
10 ml (2 c. à thé)

Mijoté de veau aux patates douces et pruneaux

Préparation : **15 minutes** • Cuisson à faible intensité : **7 heures** • Quantité : **4 portions**

Préparation

Assécher les cubes de veau à l'aide de papier absorbant. Si désiré, saupoudrer les cubes de veau de paprika fumé.

Dans une casserole, chauffer un peu d'huile d'olive à feu moyen. Faire dorer quelques cubes de veau à la fois de 3 à 4 minutes sur toutes les faces.

Ajouter l'oignon et, si désiré, l'ail. Cuire 1 minute. Saupoudrer de farine et remuer. Transférer la préparation dans la mijoteuse.

Incorporer le bouillon de bœuf et la pâte de tomates dans la mijoteuse. Saler, poivrer et remuer. Ajouter les patates douces.

Couvrir et cuire de 6 à 7 heures à faible intensité.

Ajouter les pruneaux et prolonger la cuisson de 1 heure.

PAR PORTION	
Calories	513
Protéines	45 g
Matières grasses	12 g
Glucides	58 g
Fibres	8 g
Fer	5 mg
Calcium	121 mg
Sodium	631 mg

Option santé

Les vertus de la patate douce

Elle est pleine de surprises santé et de saveur : la patate douce est vraiment un superaliment ! L'une des meilleures sources végétales de vitamine A et excellente source de fibres, elle ajoute à tout repas des propriétés immunitaires sans pareilles. Pas même besoin de creuser pour atteindre la bonne partie de la patate : sa chair, sa pelure et même ses feuilles contiennent toutes des nutriments ! Vous n'avez qu'à vous rappeler la règle simple de la couleur : plus le légume est foncé, plus il contiendra des vitamines et des minéraux !

Veau
1 rôti d'épaule de 1 kg
(environ 2 ¼ lb)

①

2 carottes
coupées en dés

②

6 pommes de terre
coupées en quartiers

③

Vin blanc
125 ml (½ tasse)

④

Fond de veau
125 ml (½ tasse)

⑤

PRÉVOIR AUSSI :
➤ **Beurre**
30 ml (2 c. à soupe)

➤ **2 oignons**
coupés en dés

FACULTATIF :
➤ **Thym**
2 tiges effeuillées

➤ **Céleri**
1 branche coupée
en dés

Rôti de veau aux pommes de terre et vin blanc

Préparation : **15 minutes** • Cuisson à faible intensité : **4 heures** • Quantité : **4 portions**

Préparation

Dans une cocotte ou dans une grande casserole, faire fondre le beurre. Saisir le rôti de veau sur toutes les faces. Déposer le rôti dans la mijoteuse. Saler et poivrer.

Ajouter les carottes, les pommes de terre, le vin blanc, le fond de veau, les oignons et, si désiré, le thym et le céleri dans la mijoteuse.

Couvrir et cuire de 4 à 6 heures à faible intensité ou de 2 à 3 heures à intensité élevée, jusqu'à ce que la température interne de la viande atteigne 70 °C (160 °F) sur un thermomètre à cuisson.

PAR PORTION	
Calories	594
Protéines	61 g
Matières grasses	17 g
Glucides	41 g
Fibres	5 g
Fer	4 mg
Calcium	72 mg
Sodium	314 mg

Idée pour accompagner

Sauce à la gelée de pommes

Dans une casserole, fouetter 250 ml (1 tasse) de fond de veau avec 80 ml (⅓ de tasse) de gelée de pommes et le contenu de 1 sachet de sauce demi-glace de 34 g. Porter à ébullition à feu moyen, puis laisser mijoter de 2 à 3 minutes en fouettant. Saler et poivrer.

Photo carottes : Shutterstock.

Bœuf ❶
1,5 kg (3 ⅓ lb) de
côtes levées parées et
coupées en tronçons

Bouillon de bœuf ❷
250 ml (1 tasse)

Vin rouge ❸
125 ml (½ tasse)

Gelée de groseilles ❹
80 ml (⅓ de tasse)

1 oignon ❺
émincé

FACULTATIF :
➤ **Mélange de fines
herbes fraîches
pour ragoût**
1 paquet de 10 g

Short ribs de bœuf au vin rouge et gelée de groseilles

Préparation : **15 minutes** • Cuisson au four : **9 minutes** • Cuisson à faible intensité : **7 heures**
Quantité : **de 4 à 6 portions**

Préparation

Préchauffer le four à la position « gril » (*broil*).

Déposer les côtes levées sur une plaque de cuisson tapissée de papier parchemin. Faire griller au four de 3 à 4 minutes de chaque côté.

Dans la mijoteuse, mélanger le bouillon de bœuf avec le vin rouge et la gelée de groseilles. Ajouter l'oignon et, si désiré, le mélange de fines herbes.

Ajouter les côtes levées dans la mijoteuse et remuer pour bien les enrober de sauce. Couvrir et cuire de 7 à 8 heures à faible intensité.

Retirer les *short ribs* de la mijoteuse et les déposer sur une plaque de cuisson tapissée de papier parchemin. Faire griller au four de 3 à 4 minutes à la position « gril » (*broil*).

Servir avec la sauce contenue dans la mijoteuse.

PAR PORTION	
Calories	564
Protéines	51 g
Matières grasses	26 g
Glucides	11 g
Fibres	1 g
Fer	4 mg
Calcium	47 mg
Sodium	330 mg

Idée pour accompagner

Haricots rôtis au bacon

Sur une plaque de cuisson tapissée de papier parchemin, déposer 4 tranches de bacon et 200 g (environ ½ lb) de haricots verts. Arroser les haricots d'un filet d'huile d'olive. Saler et poivrer. Cuire au four de 8 à 10 minutes à 205 °C (400 °F). Retirer les haricots de la plaque de cuisson et réserver dans une assiette. Poursuivre la cuisson du bacon au four de 4 à 6 minutes, jusqu'à ce qu'il soit croustillant. Couper le bacon en morceaux. Garnir les haricots de bacon.

Cuisson express

Des repas mijotés en mode rapido presto, c'est possible! C'est d'ailleurs ce que l'on vous offre ici! Plats de pâtes, de poisson, de fruits de mer, de veau, de porc… de véritables petits délices cuits en trois heures ou moins. Que du bonheur!

1 carotte ①
émincée

Fumet de poisson ②
60 ml (¼ de tasse)

Sauce pad thaï ③
du commerce
200 ml (¾ de tasse
+ 4 c. à thé)

12 à 16 crevettes ④
moyennes
(calibre 31/40)
surgelées
crues et décortiquées
décongelées et égouttées

12 pétoncles moyens ⑤
(calibre 20/30)
surgelés
décongelés et égouttés

PRÉVOIR AUSSI :
➤ ½ **oignon rouge**
émincé

FACULTATIF :
➤ **Coriandre**
quelques feuilles

Fruits de mer à la sauce pad thaï

Préparation : **15 minutes** • Cuisson à intensité élevée : **2 heures 15 minutes** • Quantité : **4 portions**

Préparation

Dans la mijoteuse, mélanger la carotte avec le fumet de poisson, la sauce pad thaï et l'oignon rouge.

Couvrir et cuire de 2 heures à 2 heures 30 minutes à intensité élevée.

Ajouter les crevettes et les pétoncles. Prolonger la cuisson de 15 à 30 minutes à intensité élevée.

Si désiré, garnir de feuilles de coriandre au moment de servir.

PAR PORTION	
Calories	159
Protéines	15 g
Matières grasses	1 g
Glucides	22 g
Fibres	2 g
Fer	1 mg
Calcium	58 mg
Sodium	616 mg

Version maison

Sauce pad thaï

Mélanger 125 ml (½ tasse) de bouillon de légumes avec 30 ml (2 c. à soupe) de ci- tronnelle hachée finement (partie blanche seulement), 15 ml (1 c. à soupe) de sauce de poisson, 15 ml (1 c. à soupe) de sauce soya, 15 ml (1 c. à soupe) de miel, 10 ml (2 c. à thé) de zestes de lime, 10 ml (2 c. à thé) de fécule de maïs et 5 ml (1 c. à thé) d'ail haché.

8 œufs ①

Lait 2 % ②
180 ml (¾ de tasse)

Fromage suisse ③
râpé
250 ml (1 tasse)

½ brocoli ④
coupé en petits
bouquets

**Jambon fumé
à l'érable** ⑤
8 tranches

PRÉVOIR AUSSI :
➤ **Thym**
haché
15 ml (1 c. à soupe)

➤ **Farine**
60 ml (¼ de tasse)

FACULTATIF :
➤ **Persil**
haché
45 ml (3 c. à soupe)

Omelette au jambon, fromage et brocoli

Préparation : **15 minutes** • Cuisson à faible intensité : **3 heures** • Quantité : **4 portions**

Préparation

Dans un bol, fouetter les œufs avec le lait, le fromage, le thym et, si désiré, le persil. Saler et poivrer.

Incorporer graduellement la farine. Ajouter le brocoli.

Beurrer généreusement l'intérieur de la mijoteuse.

Déposer les tranches de jambon au fond de la mijoteuse. Verser la préparation aux œufs sur le jambon.

Couvrir et cuire de 3 heures à 3 heures 30 minutes à faible intensité, jusqu'à ce que la préparation soit prise.

PAR PORTION	
Calories	390
Protéines	59 g
Matières grasses	25 g
Glucides	13 g
Fibres	0 g
Fer	3 mg
Calcium	334 mg
Sodium	830 mg

Idée pour accompagner

Patates douces rôties à la coriandre

Couper de 3 à 4 patates douces en cubes. Déposer sur une plaque de cuisson tapissée d'une feuille de papier parchemin. Parsemer de 5 ml (1 c. à thé) de grains de coriandre écrasés, puis arroser de 30 ml (2 c. à soupe) d'huile d'olive. Saler et poivrer. Cuire au four de 20 à 25 minutes à 205 °C (400 °F).

Macaronis ❶
655 ml
(environ 2 ⅔ tasses)

Lait 2 % ❷
250 ml (1 tasse)

Crème de poulet condensée ❸
1 boîte de 284 ml

Mélange de fromages italiens râpés ❹
375 ml (1 ½ tasse)

1 oignon ❺
haché

PRÉVOIR AUSSI :
➤ **Moutarde de Dijon**
2,5 ml (½ c. à thé)

➤ **Farine**
45 ml (3 c. à soupe)

FACULTATIF :
➤ **Bacon**
cuit et émietté
125 ml (½ tasse)

➤ **Ail**
haché
10 ml (2 c. à thé)

Macaroni au fromage

Préparation : **15 minutes** • Cuisson des pâtes : **10 minutes** • Cuisson à faible intensité : **2 heures**
Quantité : **4 portions**

Préparation

Dans une casserole d'eau bouillante salée, cuire les pâtes 2 minutes de moins que le temps de cuisson indiqué sur l'emballage. Égoutter.

Beurrer l'intérieur de la mijoteuse.

Dans la mijoteuse, mélanger le lait avec la crème de poulet, la moutarde de Dijon et la farine.

Incorporer les pâtes, le fromage, l'oignon et, si désiré, le bacon et l'ail.

Couvrir et cuire à faible intensité 2 heures. Vérifier la texture : si la préparation n'est pas suffisamment cuite, poursuivre la cuisson 30 minutes.

PAR PORTION	
Calories	560
Protéines	24 g
Matières grasses	19 g
Glucides	72 g
Fibres	4 g
Fer	2 mg
Calcium	381 mg
Sodium	784 mg

À découvrir

Un classique redéfini !

Rares sont ceux qui n'ont jamais goûté à un macaroni au fromage, mais plus rares encore sont ceux qui y ont goûté en version à la mijoteuse. Redéfinissez ce classique de pâtes en osant ce type de cuisson ! Plus goûteux, plus onctueux, plus crémeux : ce macaroni au fromage dépassera de loin ceux de votre répertoire habituel !

Lait de coco ①
1 boîte de 400 ml

Sauce de poisson ②
10 ml (2 c. à thé)

Mahi-mahi ③
ou autre poisson
à chair ferme
4 filets de 150 g
(⅓ de lb) chacun

Échalotes sèches ④
(françaises)
hachées
60 ml (¼ de tasse)

Coriandre ⑤
45 ml (3 c. à soupe)
de feuilles

FACULTATIF :
➤ **Gingembre**
haché
15 ml (1 c. à soupe)

➤ **Graines de sésame
noires et blanches**
grillées
15 ml (1 c. à soupe)

PRÉVOIR AUSSI :
➤ **Ail**
haché
10 ml (2 c. à thé)

Mahi-mahi poché au lait de coco

Préparation : **15 minutes** • Cuisson à faible intensité : **1 heure** • Quantité : **4 portions**

Préparation

Dans la mijoteuse, mélanger le lait de coco avec la sauce de poisson, l'ail et, si désiré, le gingembre.

Déposer les filets de poisson dans la mijoteuse. Sur le pourtour des filets, déposer les échalotes sèches et la coriandre.

Couvrir et cuire de 1 heure à 1 heure 15 minutes à faible intensité.

Si désiré, parsemer de graines de sésame au moment de servir.

PAR PORTION	
Calories	419
Protéines	57 g
Matières grasses	18 g
Glucides	6 g
Fibres	1 g
Fer	3 mg
Calcium	80 mg
Sodium	244 mg

Idée pour accompagner

Riz à la lime, citronnelle et poivron rouge

Dans une casserole, porter à ébullition 500 ml (2 tasses) d'eau. Ajouter 250 ml (1 tasse) de riz basmati rincé et égoutté, 15 ml (1 c. à soupe) de zestes de lime, 1 tige de citronnelle coupée en deux sur la longueur et ½ poivron rouge coupé en dés. Cuire de 12 à 15 minutes, jusqu'à absorption complète du liquide. Retirer du feu et laisser reposer 5 minutes. Saler et poivrer.

10 champignons
émincés ❶

Bouillon de poulet ❷
125 ml (½ tasse)

Vin blanc ❸
80 ml (⅓ de tasse)

Sirop d'érable ❹
45 ml (3 c. à soupe)

Porc ❺
8 côtelettes de longe

PRÉVOIR AUSSI :
➤ **Échalotes sèches**
(françaises)
émincées
60 ml (¼ de tasse)
➤ **Farine**
30 ml (2 c. à soupe)

FACULTATIF :
➤ **Moutarde de Dijon**
15 ml (1 c. à soupe)
➤ **Romarin**
haché
5 ml (1 c. à thé)

Côtelettes de porc, sauce au vin blanc

Préparation : **15 minutes** • Cuisson à intensité élevée : **2 heures** • Quantité : **4 portions**

Préparation

Dans la mijoteuse, mélanger les champignons avec le bouillon de poulet, le vin, le sirop d'érable, les échalotes et, si désiré, la moutarde et le romarin.

Déposer la farine dans une assiette creuse. Fariner les côtelettes de porc.

Ajouter les côtelettes de porc dans la mijoteuse.

Couvrir et cuire de 2 à 3 heures à intensité élevée.

PAR PORTION	
Calories	392
Protéines	45 g
Matières grasses	13 g
Glucides	17 g
Fibres	1 g
Fer	3 mg
Calcium	53 mg
Sodium	160 mg

Idée pour accompagner

Purée de pommes de terre aux oignons verts

Peler et couper en cubes de 3 à 4 pommes de terre. Déposer dans une casserole d'eau froide. Saler. Porter à ébullition, puis cuire de 12 à 15 minutes, jusqu'à tendreté. Égoutter et remettre dans la casserole. Réduire les pommes de terre en purée avec 45 ml (3 c. à soupe) de lait chaud et 45 ml (3 c. à soupe) de beurre fondu. Ajouter 2 oignons verts émincés. Saler, poivrer et remuer.

Saumon
4 filets de 180 g
(environ ⅓ de lb) chacun
la peau enlevée

1

2

**Assaisonnements au
citron et fines herbes**
15 ml (1 c. à soupe)

3

**Sauce douce
aux piments**
de type A Taste
of Thaï
125 ml (½ tasse)

4

Sauce soya
45 ml (3 c. à soupe)

5

Lime
30 ml (2 c. à soupe)
de jus

PRÉVOIR AUSSI :
➤ **Cassonade**
45 ml (3 c. à soupe)

Saumon en croûte d'épices, sauce douce aux piments

Préparation : **15 minutes** • Cuisson à intensité élevée : **2 heures** • Quantité : **4 portions**

Préparation

Dans la mijoteuse, déposer les filets de saumon. Parsemer d'assaisonnements au citron et fines herbes.

Dans un bol, mélanger la sauce douce aux piments avec la sauce soya, le jus de lime et la cassonade.

Verser la sauce sur le saumon.

Couvrir et cuire de 2 heures à 2 heures 30 minutes à intensité élevée.

PAR PORTION	
Calories	488
Protéines	38 g
Matières grasses	24 g
Glucides	24 g
Fibres	0 g
Fer	1 mg
Calcium	28 mg
Sodium	1 106 mg

Idée pour accompagner

Sauté de nouilles aux légumes

Réhydrater le contenu de 1 boîte de nouilles de riz pour sauté de 198 g selon le mode de préparation indiqué sur l'emballage. Égoutter. Dans une poêle, chauffer 15 ml (1 c. à soupe) d'huile de sésame (non grillé) à feu moyen. Saisir ½ oignon rouge émincé 1 minute. Ajouter 20 pois mange-tout coupés en deux et 1 poivron jaune émincé. Cuire 2 minutes. Ajouter les nouilles et réchauffer 1 minute en remuant. Garnir de 30 ml (2 c. à soupe) de feuilles de coriandre.

Pâte de cari rouge ❶
30 ml (2 c. à soupe)

Bouillon de poulet ❷
sans sel ajouté
625 ml (2 ½ tasses)

Lait de coco ❸
250 ml (1 tasse)

Riz arborio ❹
250 ml (1 tasse)

Crevettes moyennes ❺
(calibre 31/40)
surgelées
crues et décortiquées
décongelées et égouttées
1 sac de 340 g

PRÉVOIR AUSSI :
➤ 1 **oignon**
haché

➤ **Ail**
haché
10 ml (2 c. à thé)

FACULTATIF :
➤ **Gingembre**
haché
15 ml (1 c. à soupe)

➤ **Vin blanc**
80 ml (⅓ de tasse)

Risotto aux crevettes à la thaï

Préparation : **15 minutes** • Cuisson à intensité élevée : **1 heure 20 minutes** • Quantité : **4 portions**

Préparation

Dans la mijoteuse, mélanger la pâte de cari avec le bouillon (ajouter 80 ml – ⅓ de tasse de bouillon de plus si le vin blanc n'est pas employé), le lait de coco, l'oignon, l'ail et, si désiré, le gingembre et le vin blanc.

Ajouter le riz et remuer.

Couvrir et cuire de 1 heure à 1 heure 30 minutes à intensité élevée, en remuant à mi-cuisson.

Ajouter les crevettes et remuer. Couvrir et poursuivre la cuisson de 20 à 30 minutes, jusqu'à ce que le riz soit *al dente*.

PAR PORTION	
Calories	334
Protéines	19 g
Matières grasses	6 g
Glucides	49 g
Fibres	3 g
Fer	2 mg
Calcium	71 mg
Sodium	1 021 mg

Secret de chef

Congeler et réchauffer un risotto

Pour congeler ce risotto, laisser la préparation tiédir, puis refroidir au réfrigérateur. Placer la préparation dans un sac de congélation. Retirer l'air du sac et sceller. Placer au congélateur. Ce plat peut être congelé de 1 à 2 mois. La veille du repas, laisser décongeler au réfrigérateur. Au moment du repas, porter à ébullition 125 ml (½ tasse) de bouillon de poulet dans une casserole. Ajouter le risotto graduellement en remuant. Couvrir et réchauffer de 3 à 4 minutes à feu doux en remuant à quelques reprises.

Nouilles chinoises aux crevettes épicées

Préparation : **15 minutes** • Cuisson à intensité élevée : **2 heures 20 minutes** • Quantité : 4 portions

1 poivron rouge ❶
émincé

1 carotte ❷
émincée

Sauce au cari rouge ❸
du commerce
125 ml (½ tasse)

**Crevettes moyennes
(calibre 31/40)** ❹
surgelées
crues et décortiquées
décongelées et égouttées
1 sac de 340 g

Nouilles chinoises ❺
1 paquet de 300 g

PRÉVOIR AUSSI :
➤ **1 oignon**
émincé
➤ **Bouillon de poulet**
500 ml (2 tasses)

FACULTATIF :
➤ **Basilic**
émincé
30 ml (2 c. à soupe)

Préparation

Dans la mijoteuse, mélanger le poivron avec la carotte, la sauce au cari, l'oignon et le bouillon.

Couvrir et cuire de 2 heures à 2 heures 30 minutes à intensité élevée.

Ajouter les crevettes et les nouilles. Couvrir et poursuivre la cuisson de 15 à 20 minutes.

Remuer délicatement la préparation. Couvrir et poursuivre la cuisson de 5 à 10 minutes, jusqu'à ce que les pâtes soient *al dente*.

Si désiré, garnir de basilic au moment de servir.

PAR PORTION	
Calories	396
Protéines	27 g
Matières grasses	3 g
Glucides	68 g
Fibres	5 g
Fer	1 mg
Calcium	70 mg
Sodium	762 mg

Version maison

Sauce au cari rouge

Mélanger 30 ml (2 c. à soupe) de jus de lime avec 30 ml (2 c. à soupe) de sauce soya, 15 ml (1 c. à soupe) de pâte de cari rouge, 15 ml (1 c. à soupe) de gingembre haché, 15 ml (1 c. à soupe) d'huile de sésame (non grillé), 5 ml (1 c. à thé) de sauce sriracha, 5 ml (1 c. à thé) de fécule de maïs et 2,5 ml (½ c. à thé) de curcuma.

Truite saumonée ❶
4 filets de 150 g
(⅓ de lb) chacun
la peau enlevée

Fumet de poisson ❷
125 ml (½ tasse)

Noix de pin ❸
rôties et hachées
80 ml (⅓ de tasse)

Lime ❹
30 ml (2 c. à soupe)
de zestes

Persil ❺
haché
30 ml (2 c. à soupe)

PRÉVOIR AUSSI :
➤ **Ail**
haché
5 ml (1 c. à thé)

Truite saumonée aux noix de pin

Préparation : **15 minutes** • Cuisson à intensité élevée : **2 heures** • Quantité : **4 portions**

Préparation

Dans la mijoteuse, déposer les filets de saumon. Verser le fumet de poisson sur le saumon. Saler et poivrer.

Dans un bol, mélanger les noix de pin avec les zestes de lime, le persil et l'ail.

Répartir la préparation aux noix de pin sur les filets de saumon.

Couvrir et cuire de 2 heures à 2 heures 30 minutes à intensité élevée.

PAR PORTION	
Calories	306
Protéines	33 g
Matières grasses	18 g
Glucides	3 g
Fibres	1 g
Fer	3 mg
Calcium	74 mg
Sodium	230 mg

Idée pour accompagner

Couscous aux légumes

Dans un bol, mélanger 250 ml (1 tasse) de couscous avec 30 ml (2 c. à soupe) d'huile d'olive, 30 ml (2 c. à soupe) de menthe hachée, 15 ml (1 c. à soupe) de zestes de citron, 1 tomate coupée en dés, ½ oignon rouge coupé en dés, 2,5 ml (½ c. à thé) de cumin et 2,5 ml (½ c. à thé) de curcuma. Saler et poivrer. Verser 250 ml (1 tasse) d'eau bouillante sur le couscous et couvrir. Laisser gonfler 5 minutes. Égrainer le couscous à l'aide d'une fourchette.

Sirop d'érable ❶
60 ml (¼ de tasse)

Sauce chili ❷
80 ml (⅓ de tasse)

Pâte de tomates ❸
15 ml (1 c. à soupe)

Bouillon de poulet ❹
125 ml (½ de tasse)

Porc ❺
4 côtelettes
sans os

PRÉVOIR AUSSI :
➤ **Sauce soya**
30 ml (2 c. à soupe)
➤ **Moutarde de Dijon**
15 ml (1 c. à soupe)

Côtelettes de porc, sauce chili à l'érable

Préparation : **10 minutes** • Cuisson à intensité élevée : **2 heures** • Quantité : **4 portions**

Préparation

Dans la mijoteuse, mélanger le sirop d'érable avec la sauce chili, la pâte de tomates, le bouillon de poulet, la sauce soya et la moutarde.

Dans une poêle, chauffer un peu d'huile de canola à feu moyen. Faire dorer les côtelettes de 1 à 2 minutes de chaque côté. Ajouter dans la mijoteuse et remuer.

Couvrir et cuire de 2 à 3 heures à intensité élevée.

PAR PORTION	
Calories	235
Protéines	25 g
Matières grasses	5 g
Glucides	20 g
Fibres	2 g
Fer	2 mg
Calcium	46 mg
Sodium	974 mg

Idée pour accompagner

Quartiers de pommes de terre au citron

Couper 6 pommes de terre en quartiers. Dans un bol, mélanger 15 ml (1 c. à soupe) de zestes de citron avec 45 ml (3 c. à soupe) d'huile d'olive, 10 ml (2 c. à thé) de thym haché et 10 ml (2 c. à thé) de grains de coriandre écrasés. Ajouter les pommes de terre et remuer. Déposer les pommes de terre sur une plaque de cuisson tapissée de papier parchemin. Cuire au four de 25 à 30 minutes à 190 °C (375 °F), en retournant les pommes de terre à mi-cuisson.

6 tomates
coupées en petits dés ❶

Ail ❷
2 gousses écrasées

16 olives noires ❸

Basilic ❹
haché
15 ml (1 c. à soupe)

Morue ❺
750 g (environ 1 ⅔ lb)
de filets

PRÉVOIR AUSSI :
➤ **Citron**
30 ml (2 c. à soupe)
de jus

FACULTATIF :
➤ **Câpres**
15 ml (1 c. à soupe)

➤ **Anchois**
3 filets
hachés

Morue à la sicilienne

Préparation : **15 minutes** • Cuisson à intensité élevée : **2 heures** • Quantité : **4 portions**

Préparation

Dans la mijoteuse, mélanger les tomates avec l'ail, les olives, le basilic, le jus de citron et, si désiré, les câpres et les anchois.

Déposer les filets de morue sur la préparation aux tomates.

Couvrir et cuire de 2 heures à 2 heures 30 minutes à intensité élevée.

PAR PORTION	
Calories	209
Protéines	34 g
Matières grasses	3 g
Glucides	10 g
Fibres	2 g
Fer	1 mg
Calcium	32 mg
Sodium	542 mg

Idée pour accompagner

Linguines aux fines herbes

Dans une casserole d'eau bouillante salée, cuire 250 g (environ ½ lb) de linguines *al dente*. Égoutter. Dans une poêle, faire fondre 30 ml (2 c. à soupe) de beurre à feu moyen. Cuire 15 ml (1 c. à soupe) d'ail haché 1 minute. Ajouter les pâtes et réchauffer de 1 à 2 minutes en remuant. Garnir les pâtes de 30 ml (2 c. à soupe) de basilic haché, de 30 ml (2 c. à soupe) de persil haché et de 45 ml (3 c. à soupe) de parmesan râpé.

Escalopes de veau aux champignons

Préparation : **15 minutes** • Cuisson à intensité élevée : **2 heures** • Quantité : **4 portions**

Préparation

Dans la mijoteuse, mélanger le vin avec le bouillon de poulet, les grains de moutarde et, si désiré, les zestes de citron.

Dans une poêle, chauffer un peu d'huile de canola à feu moyen. Faire dorer les escalopes de 1 à 2 minutes de chaque côté. Ajouter dans la mijoteuse et remuer.

Ajouter les champignons et les échalotes. Remuer.

Couvrir et cuire de 1 heure 45 minutes à 2 heures 45 minutes à intensité élevée.

Incorporer le mélange laitier dans la mijoteuse et poursuivre la cuisson 15 minutes.

PAR PORTION	
Calories	231
Protéines	37 g
Matières grasses	5 g
Glucides	5 g
Fibres	1 g
Fer	3 mg
Calcium	36 mg
Sodium	123 mg

Vin blanc ①
60 ml (¼ de tasse)

Bouillon de poulet ②
125 ml (½ tasse)

Grains de moutarde ③
5 ml (1 c. à thé)

Veau ④
4 escalopes de 150 g
(⅓ de lb) chacune

Mélange laitier pour cuisson 5 % ⑤
80 ml (⅓ de tasse)

Idée pour accompagner

Purée de panais au cumin

Peler, puis couper 750 g (environ 1 ⅔ lb) de panais en morceaux. Dans une casserole, déposer les panais et couvrir d'eau. Porter à ébullition, puis cuire de 20 à 25 minutes. Égoutter. Dans une autre casserole, chauffer 60 ml (¼ de tasse) de lait avec 30 ml (2 c. à soupe) de beurre et 1,25 ml (¼ de c. à thé) de cumin jusqu'aux premiers frémissements. Saler et poivrer. Dans le contenant du robot culinaire, réduire en purée les panais avec la préparation au lait. Incorporer 30 ml (2 c. à soupe) de ciboulette hachée.

PRÉVOIR AUSSI :
➤ 16 **champignons** émincés
➤ **Échalotes sèches** (françaises) hachées 45 ml (3 c. à soupe)

FACULTATIF :
➤ **Citron** 15 ml (1 c. à soupe) de zestes

Poulet ①
3 poitrines sans peau
coupées en lanières

Sauce soya ②
réduite en sodium
80 ml (⅓ de tasse)

Sauce hoisin ③
125 ml (½ tasse)

Macaronis ④
655 ml
(environ 2 ⅔ tasses)

**Mélange de légumes ⑤
surgelés pour
macaroni chinois**
décongelés et égouttés
750 ml (3 tasses)

PRÉVOIR AUSSI :
➤ **Bouillon de poulet**
sans sel ajouté
500 ml (2 tasses)

➤ **Fécule de maïs**
15 ml (1 c. à soupe)

Macaroni chinois au poulet

Préparation : **15 minutes** • Cuisson à intensité élevée : **1 heure 15 minutes** • Quantité : **de 4 à 6 portions**

Préparation

Dans une poêle, chauffer un peu d'huile d'olive à feu moyen-élevé. Saisir les lanières de poulet de 1 à 2 minutes de chaque côté. Saler et poivrer.

Dans la mijoteuse, mélanger la sauce soya avec la sauce hoisin, le bouillon de poulet et la fécule de maïs.

Ajouter les pâtes, le poulet et les légumes.

Couvrir et cuire de 1 heure 15 minutes à 1 heure 30 minutes à intensité élevée en remuant à mi-cuisson, jusqu'à ce que les pâtes soient *al dente*.

PAR PORTION	
Calories	409
Protéines	35 g
Matières grasses	6 g
Glucides	53 g
Fibres	3 g
Fer	2 mg
Calcium	48 mg
Sodium	951 mg

Pour varier

On change la protéine !

La beauté de cette recette ? Elle est simple et peut être adaptée selon vos préférences ! Utilisez une autre de vos protéines préférées, que ce soit du porc, du bœuf ou des crevettes, et vous obtiendrez un résultat tout aussi délicieux et satisfaisant !

Lait de coco
1
1 boîte de 400 ml

Pâte de cari rouge
2
2,5 ml (½ c. à thé)

Lime
3
30 ml (2 c. à soupe)
de jus

Mélange de légumes
4
surgelés de
style Orléans
décongelés et égouttés
500 ml (2 tasses)

Mélange de
5
crevettes et de
pétoncles surgelés
décongelé et égoutté
1 paquet de 340 g

FACULTATIF :
➤ 4 **tomates**
coupées en dés

➤ **Arachides**
hachées
125 ml (½ tasse)

PRÉVOIR AUSSI :
➤ **Sauce soya**
30 ml (2 c. à soupe)

Fruits de mer à l'indonésienne

Préparation : **15 minutes** • Cuisson à intensité élevée : **2 heures 15 minutes** • Quantité : **4 portions**

Préparation

Dans la mijoteuse, mélanger le lait de coco avec la pâte de cari, le jus de lime, le mélange de légumes, la sauce soya et, si désiré, les tomates.

Couvrir et cuire de 2 heures à 2 heures 30 minutes à intensité élevée.

Ajouter les crevettes et les pétoncles. Poursuivre la cuisson de 15 à 30 minutes.

Si désiré, garnir d'arachides au moment de servir.

PAR PORTION	
Calories	241
Protéines	16 g
Matières grasses	16 g
Glucides	10 g
Fibres	2 g
Fer	2 mg
Calcium	92 mg
Sodium	847 mg

Idée pour accompagner

Vermicelles aux edamames

Réhydrater 100 g (3 ½ oz) de vermicelles de riz selon les indications de l'emballage. Égoutter. Dans une poêle, porter à ébullition 125 ml (½ tasse) de bouillon de poulet avec 30 ml (2 c. à soupe) de sauce satay. Ajouter 250 ml (1 tasse) d'edamames et cuire de 2 à 3 minutes. Ajouter les vermicelles de riz et prolonger la cuisson de 1 à 2 minutes. Parsemer de 30 ml (2 c. à soupe) de ciboulette hachée.

Poulet ❶
3 poitrines sans peau
coupées en cubes

Bouillon de poulet ❷
750 ml (3 tasses)

**Mélange de légumes
surgelés de style
macédoine** ❸
décongelés et égouttés
750 ml (3 tasses)

Riz arborio ❹
250 ml (1 tasse)

Parmesan ❺
râpé
125 ml (½ tasse)

PRÉVOIR AUSSI :
➤ **Échalotes sèches**
(françaises)
hachées
60 ml (¼ de tasse)
➤ **Beurre**
30 ml (2 c. à soupe)

FACULTATIF :
➤ **Vin blanc**
125 ml (½ tasse)
➤ **Basilic**
émincé
45 ml (3 c. à soupe)

Risotto au poulet

Préparation : **15 minutes** • Cuisson à intensité élevée : **1 heure 30 minutes** • Quantité : **4 portions**

Préparation

Dans une poêle, chauffer un peu d'huile d'olive à feu moyen-élevé. Saisir les cubes de poulet sur toutes les faces. Saler et poivrer.

Dans la mijoteuse, mélanger les cubes de poulet avec le bouillon de poulet (ajouter 125 ml – ½ tasse de bouillon de plus si le vin blanc n'est pas employé), le mélange de légumes, le riz, le parmesan, les échalotes, le beurre et, si désiré, le vin et le basilic.

Couvrir et cuire de 1 heure 30 minutes à 2 heures à intensité élevée en remuant à mi-cuisson, jusqu'à ce que le riz soit *al dente*.

PAR PORTION	
Calories	538
Protéines	53 g
Matières grasses	16 g
Glucides	58 g
Fibres	7 g
Fer	4 mg
Calcium	221 mg
Sodium	682 mg

À découvrir

Le risotto à la mijoteuse

Obtenez un risotto onctueux à souhait sans vous soucier de le surveiller continuellement ! La cuisson plus lente à la mijoteuse permet une absorption optimale du liquide par le riz, lequel n'a besoin d'être remué qu'à la mi-cuisson. Ce pratique appareil rend ainsi ce plat plus facile à cuisiner !

Pâte de cari rouge ①
30 ml (2 c. à soupe)

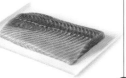

Lait de coco ②
1 boîte de 400 ml

1 poivron rouge ③
émincé

Saumon ④
coupé en cubes
750 g (environ
1 ⅔ lb) de filets
la peau enlevée

Gingembre ⑤
haché
15 ml (1 c. à soupe)

PRÉVOIR AUSSI :
➤ **1 oignon**
émincé
➤ **Ail**
haché
10 ml (2 c. à thé)

FACULTATIF :
➤ **Coriandre**
30 ml (2 c. à soupe)
de feuilles

Cari au saumon

Préparation : **15 minutes** • Cuisson à intensité élevée : **2 heures** • Quantité : **4 portions**

Préparation

Dans la mijoteuse, mélanger la pâte de cari avec le lait de coco.

Ajouter le poivron, le saumon, le gingembre, l'oignon et l'ail.

Couvrir et cuire de 2 heures à 2 heures 30 minutes à intensité élevée.

Si désiré, garnir de feuilles de coriandre au moment de servir.

PAR PORTION	
Calories	583
Protéines	41 g
Matières grasses	40 g
Glucides	12 g
Fibres	2 g
Fer	2 mg
Calcium	54 mg
Sodium	664 mg

Idée pour accompagner

Nouilles de riz aux noix

Réhydrater 200 g (environ ½ lb) de nouilles de riz pour sauté selon les indications de l'emballage. Égoutter. Dans une poêle, chauffer 80 ml (⅓ de tasse) de bouillon de légumes à feu moyen. Ajouter les nouilles. Saler et poivrer. Cuire de 1 à 2 minutes. Parsemer de 45 ml (3 c. à soupe) d'arachides hachées et de 45 ml (3 c. à soupe) de noix de cajou hachées.

Index des recettes

Une réalisation de

Éditeur de

     Gabrielle